Gabriele Göhr · Was Kinder von Gott wissen wollen

Gabriele Göhr

Was Kinder von Gott wissen wollen

Mit Kleinkindern über den Glauben reden

R. Brockhaus Verlag Wuppertal

R. Brockhaus Taschenbuch Bd. 387

2. Auflage 1987

Umschlaggestaltung: Carsten Buschke, Leichlingen 2
Umschlagfoto: G. Rettinghaus – ZEFA, Düsseldorf
Gesamtherstellung: Breklumer Druckerei Manfred Siegel KG
ISBN 3-417-20387-2

VORWORT

Der Duft der Fliederblüten, ein zartgelber Schmetterling, die ersten wärmenden Sonnenstrahlen – dies und noch viel mehr Schönes schenkt Gott. Auch die Freude, die ansteckende Fröhlichkeit, die ein Kind in seiner Umgebung verbreitet, ist Geschenk Gottes. »Kinder sind eine Gabe des Herrn« (Psalm 127,3a).

Aber Gott läßt die Menschen nicht nur die Schönheit seiner Geschöpfe genießen, er macht sie auch für sie verantwortlich. So wie die Umwelt nicht ohne schwerwiegende Folgen vernachlässigt und mißhandelt werden kann, so sehr müssen Eltern sich um das körperliche und seelische Wohlergehen ihrer Kinder bemühen.

Dieses Buch ist aus dem Eindruck entstanden, daß vielen Eltern Anregungen fehlen, ihren Kindern altersspezifische Antworten auf Lebensfragen zu geben, die für die Kinder so wichtig, den Eltern aber vielfach nur deshalb so lästig sind, weil sie diese Fragen für sich selbst zwar beantwortet haben, ihnen aber die Erfahrung im Gespräch mit ihren Kindern fehlt. Diese Gesprächshilfen beziehen sich hauptsächlich auf Kinder zwischen drei und fünf Jahren, wobei auf die großen Unterschiede im Verstehenshorizont dieser Altersgruppe zu achten war.

INHALT

I. Grundlagen religiöser Erziehung

1. Die Bedeutung der Erfahrungen in früher Kindheit

Psychologen sind sich nach zahlreichen Untersuchungen darin einig, daß der Verlauf der frühen Kindheit entscheidenden Einfluß auf das ganze Leben hat. Wenn ein Kind von Geburt an Liebe und Geborgenheit erfährt, wenn es voller Freude angenommen wird, dann sind die besten Voraussetzungen gegeben, daß es sich zu einem glücklichen, vertrauensvollen Menschen entwikkelt. Andererseits zeigen viele traurige Beispiele, daß Kinder, die ohne emotionale Zuwendung aufwachsen, körperlich und seelisch so krank werden, daß sie nicht mehr lebensfähig sind.

Als Gott die ersten Menschen aufforderte, Kinder zu bekommen, hatte er schon die denkbar beste Grundlage für eine gesunde Entwicklung des Kindes geschaffen. In der von Gott eingesetzten Ehe, die dann durch Kinder zur Familie wird, ist es möglich, dem Kind jene Geborgenheit zu geben, die es so nötig braucht.

Noch bevor ihr Kind geboren ist, machen sich die meisten Eltern darüber Gedanken, was sie für das Glück ihres Kindes tun können. In materieller Hinsicht steht meistens eine reiche Ausstattung zur Verfügung. Auch über Erziehungsformen und -ziele informieren sich viele Eltern. Ein wichtiger Bereich sollte bei der Vorbereitung auf das Kind nicht übergangen werden: Welche Werte und Normen sollen dem Kind vermittelt werden? Welche Richtung soll sein Leben einschlagen und wie kann man ihm schon von Anfang an Sinn und Ziel vermitteln? Wie läßt man es die wesentlichen Dinge im Leben wie z.B. Liebe und Vertrauen erleben und erlernen?

Der gerade geborene Säugling ist ein völlig hilfloses Wesen. Er ist ganz darauf angewiesen, daß die Eltern seine Bedürfnisse nach Nahrung, Pflege und Liebe erfüllen. Gleich nach der Geburt beginnt das Kind Erfahrungen zu sammeln. Wenn es sich darauf verlassen kann, daß seine Bedürfnisse befriedigt werden, wird es nach kurzer Zeit Vertrauen zu den Eltern entwickeln, ein Gefühl, das ihm sagt: Wenn ich mich nach Nähe sehne, werde ich nicht allein gelassen; wenn ich mich nicht wohlfühle, wird mir geholfen; wenn ich Hunger habe, werde ich gestillt.

Aufgrund dieser positiven Erfahrungen wird das Kind wenig später in der Lage sein, auch Gott zu vertrauen, wenn es hört, daß dieser Gott genauso liebevoll um es besorgt ist wie seine Eltern. So beginnt religiöse Erziehung mit dem ersten Lebenstag des Kindes.

Wenn ein Kind jedoch vernachlässigt wird, wenn es enttäuscht bemerkt, daß sich keiner so recht um es kümmert, dann ist es sinnlos, ihm von Gottes Liebe zu erzählen; es kann sich darunter nichts vorstellen.

Leider gibt es keine Garantie dafür, daß Kinder, die in den ersten Lebensjahren alle Zuwendung und eine ideale Erziehung bekamen, auch an Gott glauben werden. Es liegt nicht in der Macht von Menschen, andere gläubig zu machen. »Denn aus Gnade seid ihr selig geworden durch Glauben, und das nicht aus euch: Gottes Gabe ist es, nicht aus Werken, damit sich nicht jemand rühme« (Epheser 2,8.9).

Aus diesem Text geht klar hervor, daß der Glaube ein Geschenk Gottes ist. An diesem Gedanken ist etwas Tröstliches. Keine Eltern sind vollkommen; sie sind aber auch nicht allein verantwortlich für das ewige Schicksal ihres Kindes. Die Fehler, die sich in der Erziehung unvermeidlich ergeben, haben deshalb auch nicht solche endgültigen Konsequenzen. Umgekehrt ist es durchaus möglich, daß jeder Mensch zu Gott findet, mag seine Kindheit auch noch so schlecht verlaufen sein. »Denn es ist kein Ansehen der Person vor Gott« (Römer 2,11).

Eltern können also den Glauben ihres Kindes vorbereiten; aber wo ihr Einfluß aufhört, wirkt Gott weiter.

2. Religiöse Beeinflussung von Kindern

Wenn man bedenkt, welche entscheidende Bedeutung Erfahrungen im Kleinkindalter haben, könnte man sich auch fragen: Ist es nicht besser, die Kinder religiös unbeeinflußt aufwachsen zu lassen? Kann denn nicht auch sehr viel falsch gemacht werden? Wird sich mein Kind vielleicht für immer vom Christentum abwenden, etwa weil es religiös überfüttert wird?

Die beiden letzten Fragen stellen sich viele Eltern, und dies mit Recht. Es ist tatsächlich möglich, dem Kind das Christentum zu verleiden, indem es beispielsweise einen strafenden und fordernden Gott kennenlernt, der einem nichts Schönes gönnt. Oder das Kind wird mit ungeeigneten biblischen Inhalten geradezu überschüttet in einem Alter, in dem es entwicklungsmäßig noch gar nicht in der Lage ist, diese Inhalte verstandesmäßig zu verarbeiten. Oder die Diskrepanz zwischen Leben und Lehre wird nicht offen zugegeben, sondern fromm bemäntelt. Auf diese Problematik soll in den folgenden Kapiteln eingegangen werden; es handelt sich dabei um die Art der Vermittlung des religiösen Glaubens und seine Verwirklichung im Leben.

Zuvor muß jedoch erst noch die Frage geklärt werden: Religiöse Erziehung, ja oder nein?

Wer annimmt, man könne Kinder von jeder religiösen Beeinflussung fernhalten, folgt einer Illusion. Unsere abendländische Kultur ist christlich geprägt, und deshalb wird auch jedes Kind im Laufe seiner ersten Lebensjahre in irgendeiner Form mit christlicher Tradition in Berührung kommen und Fragen stellen, auf die seine Eltern reagieren müssen.

Diese Tatsache stellt eine große Herausforderung für Eltern dar. Sie müssen ihre eigene Lebenshaltung neu durchdenken. Kinder lassen sich nichts vormachen! Sie spüren genau, ob die Eltern auch wirklich meinen, was sie sagen. Wenn die Eltern ihren Kindern die Auskunft geben wollen: Ja, es gibt einen lebendigen Gott, dann können sie das nur, wenn ihre Worte und ihr Verhalten dasselbe sagen: Ja, es gibt einen Gott, wir glauben an ihn, wir leben mit ihm.

Es wird kaum möglich sein, das Kind auf die Frage: Gibt es Gott, Papa? mit einer ausweichenden Antwort zufriedenzustellen. Eltern, die an Gott glauben, werden diese Frage natürlich bejahen und ihr Kind damit auch überzeugen.

Wenn für Eltern das Thema »Religion« jedoch abgeschlossen ist, wenn für sie kein Gott existiert, dann werden sie auch nicht in der Lage sein, ihrem Kind überzeugend von Gott zu erzählen. Sie werden wahrscheinlich auch gar nicht den Wunsch dazu haben. Auf religiöse Fragen ihres Kindes werden sie dann so antworten müssen, daß es eben Menschen gibt, die an Gott glauben, und andere, die nicht an ihn glauben.

Sicher gibt es auch Eltern, die im Zweifel darüber sind, ob ein Gott existiert oder nicht. Auch dann sollten sie ihrem Kind gegenüber ehrlich sein. Sie werden aber längerfristig nicht umhin kommen, sich mit der Frage nach Gott ernsthaft auseinanderzusetzen.

Abgesehen davon, daß das Kind ohnehin durch seine Umwelt irgendwann einmal auf christliche Bräuche aufmerksam gemacht wird – und bei normalen wissensdurstigen und neugierigen Kindern geschieht das recht früh –, ist es auch in anderer Hinsicht nicht möglich, den religiösen Bereich aus dem Bewußtsein des Kindes kategorisch auszuschließen. Selbst wenn die Eltern streng darauf bedacht sind, niemals über Gott zu reden, keinen Gottesdienst zu besuchen usw., wird das Kind auch durch dieses Verhalten geprägt. Es erfährt dadurch, daß die Eltern von Religion nichts halten, daß es für sie keinen Gott gibt, daß dieser ganze Bereich den Eltern unwichtig ist.

Es sind nicht nur äußere Umstände, die den Menschen für religiöse Fragen offen sein lassen. H. B. Kaufmann spricht von der Ideologiebedürftigkeit des Menschen, vom *»Zwang zur Deutung, Überhöhung und Rechtfertigung der Wirklichkeit und der eigenen Existenz«*[1]. Das gilt für Erwachsene ebenso wie für Kinder. Vielleicht ist der Erwachsene nur schon geübter im Umgang mit solchen Lebensfragen. Entweder hat er sie für sich schon geklärt oder aus seiner Gedankenwelt verbannt. In der gewohnten Hektik seines Arbeitsalltags fällt es ihm nicht schwer, sich auf konkrete Probleme seines Lebens zu konzentrieren und die Frage nach dem Woher und Wohin des Menschen »auf später« zu verschieben.

Das kann allerdings auch verhängnisvolle Folgen haben. Die Anziehungskraft, die beispielsweise die verschiedenen Jugendsekten auf Millionen von Menschen ausüben, zeigt, daß eine Leere im Innern ausgefüllt werden muß, die sonst unerträglich wird. Der »Zwang zur Deutung«, die Ideologiebedürftigkeit macht sich geltend.

Auch in der Bibel ist davon die Rede, daß der Mensch etwas in sich hat, was seine Gedanken auf das Außerirdische lenkt. Der Prediger Salomo sagt, daß Gott den Menschen die Ewigkeit ins Herz gelegt hat (Prediger 3,11).

Es ist schon erstaunlich, in welch frühem Alter Kinder über den Sinn des Lebens nachdenken und ihn erfragen. Diese Kinderfragen sind sehr ernst gemeint. Selbst wenn Eltern nicht auf jede eine befriedigende Antwort finden, ist es doch wichtig, daß ihre Haltung dem Kind gegenüber ausdrückt, daß es mit seinen Fragen ernstgenommen wird, daß seine Überlegungen wichtig und sinnvoll sind, und daß die Eltern sich bemühen, gute Antworten zu finden. Diese Antworten sind äußerst wichtig für das Kind, »denn wenn man vertrauensvoll und tapfer in das Leben gehen soll, dann muß man gewiß sein können, daß in diesem Leben ein letzter Sinn waltet, auch wenn man ihn oft auf den ersten Blick nicht erkennt«[2].

Man sollte nicht übersehen, welche Chance in der frühen religiösen Erziehung des Kleinkindes liegt. Zwei Beispiele sind in der Bibel darüber zu lesen: Mose und Samuel wurden beide nur wenige Jahre von ihren Müttern erzogen und mit Gott vertraut gemacht. Diese religiöse Erziehung in den ersten Lebensjahren war entscheidend für ihr ganzes weiteres Leben. Beide lebten in enger Verbindung mit Gott (2. Mose 2; 1. Samuel 1).

3. Die Entwicklung einer religiösen Gesinnung beim Kind

Religiöse Erziehung spielt sich nicht in erster Linie auf verstandesmäßiger Ebene ab. Lange bevor ein Kind zu sprechen beginnt und damit in der Lage ist, Fragen zu stellen, nimmt es religiöse Gewohnheiten der Eltern wahr, die es dann ganz selbstverständlich nachahmt, so wie es sich in allen Situationen die Eltern als Vorbild nimmt. Für das Kind sind die Eltern allmächtig und allwissend, es bewundert sie und möchte ihnen auf jeden Fall gleich sein und vor allem dazugehören.

Der Entwicklungspsychologe Rolf Oerter beschreibt, wie es zu religiösen Haltungen kommt: Zuerst ahmt das Kind das religiöse Verhalten der Eltern nach (z.B. Beten, Hände falten). Mit den erlernten Gewohnheiten werden dann Gefühle verbunden. Diese Gefühle unterscheiden sich sehr von denen in normalen Alltagssituationen. Beim Beten herrscht Andächtigkeit, im Gottesdienstraum ist es still, die religiöse Orgelmusik unterscheidet sich stark von anderer Musik. Dies alles beeindruckt das Kind und ruft meistens eine positive Einstellung zum Religiösen hervor.[3]

Das bedeutet allerdings nicht, man solle ein Kind so früh wie möglich und so lange es sich einigermaßen ruhig verhält, mit in den Gottesdienst nehmen.

Sicher, das Kind ist vielleicht vom Klang der Orgel und der kirchlichen Atmosphäre gefesselt, aber spätestens wenn die Predigt einige Minuten ihren Lauf genommen hat, kommt Langeweile auf. Dann wird es unruhig, sucht sich irgendwelche Dinge, mit denen es sich beschäftigen kann, durch die sich aber die erwachsenen Gottesdienstbesucher (zu Recht) gestört fühlen. Daraufhin wird es ermahnt oder eventuell sogar bestraft. Es ist ganz klar: das Kind kann unmöglich eine Stunde lang ruhig sitzen und zuhören, vor allem wenn es überhaupt nichts vom Inhalt der Predigt versteht. Selbst wenn es bei einigen besonders ruhigen Kindern gelingen mag, sie möglichst lange mit Malen oder dergleichen zu beschäftigen, wird sich bei ihnen bestimmt kein positives Gefühl für die Kirche entwickeln. Das Kind assoziiert damit sofort negative Dinge wie Langeweile, still sitzen und ganz leise sein müssen, nichts Schönes spielen dürfen, mißgestimmte Eltern, wenn es mit dem Ruhigsein nicht so recht klappt.

Eine gute Lösung ist dagegen ein kindgerechter Gottesdienst. In einem eigenen Raum, der bunt ausgestattet ist, damit sich die Kinder auch wohlfühlen, können christliche Lieder gesungen werden, die Kinder hören Geschichten, spielen, malen und basteln. Dabei ist auch das Zusammensein mit anderen Kindern sehr wichtig.

Ab und zu ist es auch für Kinder besonders schön, einen Familiengottesdienst zu erleben, bei dem alle Altersgruppen berücksichtigt werden und alle etwas beitragen können.

Religiöse Gewohnheiten sind gut und wichtig. Wenn Gottesdienst in altersgemäßer Art stattfindet, wird das Kind sicher gerne in die Kirche gehen. Damit ist ein guter Grund für die Zukunft gelegt.

Manche Eltern mögen einwenden, daß sich Kinder schließlich an den Gottesdienst (der ja für Erwachsene gedacht ist) gewöhnen sollen. Dieses Argument ist jedoch nicht haltbar! Niemand würde im Ernst behaupten, man müsse ein dreijähriges Kind einmal pro Woche ins Museum oder Klavierkonzert mitnehmen, um zu erreichen, daß es sich auch als Erwachsener für Kunst interessiert. Die Freude am Gottesdienst wird durch ganz andere Dinge geweckt – nämlich zunächst nicht im Gottesdienst, sondern im Alltagsleben und in der fröhlich-festlichen Feiertagsgestaltung. Und je besser dies gelingt, um so offener wird das heranwachsende Kind auch für die Freude der Eltern am Gottesdienst sein. Man muß sich vor Augen halten, daß die Bedeutung, die Eltern im Leben des Kindes haben, mit zunehmendem Alter abnimmt.

Beim Jugendlichen haben die Eltern wesentlich geringere Einflußmöglichkeiten. Hier spielt vor allem die Gruppe der Gleichaltrigen eine wichtige Rolle. Es ist deshalb gut, wenn Kinder im Pubertätsalter eine Kirche vorfinden, die ihnen einerseits ermöglicht, sich unter Gleichaltrigen wohlzufühlen, andererseits aber auch glaubwürdige und ansprechende Inhalte vermittelt.

Man ist als Erwachsener allzu leicht geneigt, die verstandesmäßige Aufnahmefähigkeit des Kindes zu überschätzen. Seit der eigenen Kindheit sind Jahrzehnte vergangen, und es fällt einem schwer, sich in die Gefühls- und Gedankenwelt eines Kleinkindes hineinzuversetzen. Erschwerend kommt hinzu, daß wir in einer Zeit leben, die den Verstand des Menschen zu Ungusten seiner Gefühle verherrlicht. Leider wird dies auch schon auf kleine Kinder übertragen. Es ist wichtig, sich immer wieder klar zu machen, in welch großem Maße Kinder ihre Umwelt gefühlsmäßig erfassen.

Der Glaube des Kindes ist abhängig von seinem jeweiligen Entwicklungsstand. Da für das Kind seine Eltern maßgebende Autorität in allen Lebensfragen sind, nimmt es an, daß alles, was seine Eltern sagen, auch wirklich wahr ist – es hat ja nicht die Möglichkeit, die Aussagen der Erwachsenen zu überprüfen. Jeder weiß, wie überzeugt kleine Kinder davon sind, daß es den Osterhasen oder den Weihnachtsmann tatsächlich gibt.

Das Kind hat demnach auch keine Schwierigkeiten damit, alle von den Eltern vermittelten religiösen Inhalte für wahr zu halten, weshalb mancher Erwachsene in die Versuchung gerät, diese Leichtgläubigkeit des Kindes auszunützen und etwa aus Bequemlichkeit religiöse Fragen falsch zu beantworten.

Der vierjährige Sven wird Augenzeuge eines schweren Unfalls. Nachdem er eine Weile betroffen geschwiegen hat, fragt er: »Mutti, warum hat Gott nicht aufgepaßt, daß kein Unfall passiert?«

Die Mutter ist um eine Antwort verlegen. Schließlich sagt sie: »Ach weißt du, der liebe Gott kann ja schließlich nicht überall sein und auf alles aufpassen. Er hat ja auch noch etwas anderes zu tun.«

In der Tat stellt der Junge seiner Mutter eine sehr schwierige Frage. Das rechtfertigt allerdings nicht ihre falsche Antwort. Gott ist eben doch allgegenwärtig und allmächtig. Er ist tatsächlich überall und kann auf alles »aufpassen«.

Selbstverständlich ist niemand in der Lage, alle Kinderfragen ganz präzise zu beantworten. In diesem Fall wird jedoch mit der Antwort ein ganz falsches Gottesbild gezeichnet. Es ist ein allzu menschlicher Gott, der eben auch nicht alles kann. Ein Gott, zu dem man auch kein besonders großes Vertrauen haben kann. Denn sollte Sven selbst einmal in eine schwierige Situation geraten, wird er nicht sicher sein, ob Gott nicht gerade woanders beschäftigt ist und deshalb Svens Bitte um Hilfe noch nicht einmal hört geschweige denn erfüllt.

Die Mutter hätte vielleicht antworten können: »Ich verstehe es auch nicht so recht, warum Gott den Unfall zugelassen hat. Ich werde noch darüber nachdenken.« Später hätte sie wieder an das Gespräch anknüpfen können.

Eine andere mögliche Antwort wäre (je nach Situation): »Die Autofahrer müssen auch selbst gut aufpassen, daß kein Unfall passiert. Sie haben hier nicht auf die Verkehrszeichen geachtet. Du darfst ja auch nur bei grüner Ampel über die Straße gehen. Darauf mußt du selbst achten.«

4. Das Kind ist von Gott angenommen

Manche Menschen meinen, Gott sei nichts für Kinder, sondern sei den Erwachsenen vorbehalten. In der Bibel wird eine Begebenheit erzählt, die diese Haltung schildert:

»Dort brachte man einmal Kinder zu ihm (Jesus), damit er sie berühre und durch seine Berührung segne. Die Jünger aber trieben die Leute mit den Kindern weg. Als Jesus das sah, wurde er unwillig und sagte zu ihnen: Laßt die Kinder zu mir kommen! Hindert sie nicht! Das Reich Gottes ist für Menschen bestimmt, die sind wie diese Kinder. Was ich sage, ist für Zeit und Ewigkeit wahr: Wer sich Gottes Willen nicht fügt mit der Selbstverständlichkeit, mit der ein Kind gehorcht, wer Gottes Freundlichkeit nicht aufnimmt mit der einfachen Dankbarkeit von Kindern, wer sich Gottes Macht nicht ausliefert mit der Machtlosigkeit von Kindern, wird Gottes Willen nicht erfüllen, seine Freundlichkeit nicht fassen und seine Macht nicht erfahren. Er wird zu Gottes ewiger Herrlichkeit keinen Zugang haben. Und er umarmte sie, legte ihnen die Hände auf und gab ihnen Gottes Liebe und Kraft, indem er sie segnete« (Markus 10,13–16; Übertragung nach Zink).

Aus dieser Geschichte geht hervor, welche Einstellung Jesus zu Kindern hat. Die Jünger hielten es offensichtlich für eine Belästigung, daß einige Eltern Jesu Zeit dafür in Anspruch nehmen wollten, daß er ihre Kinder segnete. Aber Jesus ist empört über diese Haltung, er zeigt deutlich, daß ihm alle Menschen gleich wichtig sind, die Kinder wie die Erwachsenen. Mehr noch, er stellt den Erwachsenen die Kinder als Vorbild dar.

In unsere Umgangssprache mit Kindern haben sich negative Redewendungen eingebürgert, die Kinder immer wieder hören müssen. Da heißt es z.B.: »Dazu bist du noch zu klein.« – »Wenn du erst älter bist...« – »Später kannst du (dies und jenes) auch tun.« Damit wird gesagt, daß das Kind sich in einem Zustand befindet, aus dem es möglichst schnell herauswachsen sollte. Nichts scheint so wichtig und erstrebenswert zu sein, wie endlich erwachsen zu werden. Es sieht fast so aus, als sei man erst dann richtig Mensch.

Jesus stellt in seinem Handeln unsere Vorstellungen von der Wertigkeit des Menschen auf den Kopf. Er sagt ganz deutlich, was wichtig ist, um Gott zu gefallen. Nicht das Erwachsensein macht den Menschen für Gottes Reich geeignet, sondern ein kindliches Wesen.

Darüber hinaus wird bei der oben zitierten Markusstelle deutlich, wie wichtig Jesus das Wohlbefinden der Kinder ist: Er segnet sie.

Wie sehr Jesus um Kinder besorgt ist, drückt sich auch noch an anderer Stelle aus:

»Zu jener Stunde fragten die Jünger Jesus: Wer ist eigentlich grundsätzlich größer oder kleiner in der Rangordnung, die bei Gott gilt? Da rief er ein Kind zu sich, stellte es mitten unter sie und sprach: Laßt es euch gesagt sein: Wenn ihr euren Gedanken nicht eine andere Ordnung gebt, wenn ihr eure Maßstäbe nicht umkehrt und wie die Kinder werdet, dann könnt ihr vor Gott nichts gelten. Wenn aber einer sich selbst bis zur Machtlosigkeit dieses Kindes erniedrigt, ist er der Größte von euch nach der Ordnung, die in Gottes Augen gilt. Wer eines von diesen Kindern aufnimmt aus Treue zu mir, der nimmt mich zu sich. Wer aber einen der Kleinsten, die mir ihr Vertrauen schenken, irre macht an Gott und an mir, hat eine Strafe zu erwarten, der gegenüber es eine Wohltat für ihn wäre, es hängte ihm einer einen Mühlstein an den Hals und ertränkte ihn in der Tiefe des Meeres« (Matthäus 18,1–6; Übertragung nach Zink).

Für Jesus ist das Kind nichts Unfertiges im Sinne des Minderwertigen. Es ist aufgrund seiner besonderen kindlichen Eigenschaften (z.B. dem Wissen um seine Abhängigkeit) gerade offen für den Glauben an Gott.

Aus dem Text geht aber auch hervor, daß Gott über die Kinder wacht, vor ihrer Mißachtung oder Irreführung warnt und ihr Vertrauen behalten möchte.

So wie die Eltern ihr Kind normalerweise von Geburt an annehmen, es lieben und für es sorgen, so ist auch Gott vom ersten Lebenstag an für das Kind da.

»Höre auf mich, du Haus Jakob, und alle, die ihr vom Hause Israel übrig seid, die ihr vom Mutterschoß an von mir getragen und von Geburt an gehegt worden seid: Bis in euer Alter bin ich derselbe, und bis ihr grau werdet, trage ich euch. Ich habe es getan und ich werde es tun, ich will tragen und erretten« (Jesaja 46,3).

Niemand lebt für sich allein, und deshalb bleiben die Handlungen eines Menschen auch nicht ohne Folgen für seine Mitmenschen, insbesondere für seine Familie. In erschreckender Weise sagt uns Gott in den Zehn Geboten, welche Folgen die Gottlosigkeit der Eltern für die Kinder hat: »Ich, der Herr, dein Gott, bin ein eifriger Gott, der da heimsucht der Väter Missetat an den Kindern bis in das dritte und vierte Glied, die mich hassen« (2. Mose 20,5).

Die tragische Konsequenz dieser göttlichen Aussage erleben wir immer wieder. Ein Kind, das in seiner frühen Jugend nicht genügend Liebe und Zuwendung erhält, wird kein Vertrauen zu seiner Umgebung entwikkeln können; es wird ängstlich, unsicher und unfähig, selbst Liebe weiterzugeben, denn Zuneigung geben kann nur der, der sie selbst bekommen hat. So wird dieses Kind, wenn es erwachsen ist, nur schwer in der Lage sein, das eigene Kind zu einem seelisch gesunden Menschen zu erziehen. Wenn diese Kette nicht durchbrochen wird, setzt sich die seelische Not von einer Generation zur anderen fort.

Aber wie Kinder unter einer schlechten Familienatmosphäre leiden, so sehr profitieren sie von dem christlichen Lebensstil ihrer Eltern. »Ein Gerechter, der unsträflich wandelt, des Kindern wird's wohlgehen« (Sprüche 20,7). Gott schenkt seinen Segen in besonderem Maße dort, wo man an ihn glaubt und seinen Willen tut. Und dieser Segen einer christlich geprägten gesunden Atmosphäre des Vertrauens, der Vergebung und der Geborgenheit wirkt sich ohne Frage positiv auf die Kinder in der Familie aus.

5. Ziele religiöser Erziehung

Oft stellen sich Eltern die Frage: Wie erziehe ich mein Kind richtig? Die Fülle pädagogischer Meinungen führt manchmal eher zur Verunsicherung, als daß sie klärend wirkt. Deshalb ist es hilfreich, sich einmal damit zu befassen, was die Bibel als Ziel einer gelungenen Erziehung ansieht.

a) Liebe zu Gott

»Jesus aber sprach zu ihm: Du sollst den Herrn, deinen Gott, lieben mit deinem ganzen Herzen und deiner ganzen Seele und mit deinem ganzen Verstand. Dies ist das größte und erste Gebot« (Matthäus 22,37.38).

Wichtigstes Anliegen und das Hauptziel religiöser Erziehung ist es, das Vertrauen des Kindes zu Gott zu wecken und zu stärken. Die Voraussetzung dafür ist ein in früher Kindheit entstandenes Vertrauen, eine positive Lebenseinstellung den Dingen gegenüber, die auf das Kind zukommen.

Für das Kind, das sich der Fürsorge und Zuwendung seiner Eltern sicher sein kann, ist es ohne weiteres vorstellbar, daß auch Gott die gleichen positiven Dinge in seinem Leben bewirkt. Es wird ihm nicht schwerfallen, diesen Gott als jemanden anzunehmen, der es genauso liebt wie es sich von seinen Eltern geliebt sieht.

Wie dieses Gebot der Gottesliebe für ein Kind zum Problem werden kann, wenn es nämlich ein verzerrtes und negatives Gottesbild vermittelt bekommt, wird im folgenden Kapitel (»Gottesbilder«, Seite 35ff.) aufgezeigt.

b) Liebe zu den Mitmenschen

Von dem Gebot der Gottesliebe wird gesagt, daß es das größte und erste ist. Weiter heißt es in der Bibel: »Das zweite aber ist ihm gleich: Du sollst deinen Nächsten lieben wie dich selbst. An diesen beiden Geboten hängt das ganze Gesetz und die Propheten« (Matthäus 22,39.40).

Der Bibeltext sagt es ganz klar: Grundlage für die Nächstenliebe sind Geliebtsein und Selbstannahme. Eine Nächstenliebe, die in dem »du sollst« dieses Gebotes gegründet ist, wird verkrampft und kurzlebig sein; Liebe auf Befehl funktioniert eben nicht. Deshalb ist auch der zweite Teil des Satzes so überaus wichtig: ». . . wie dich selbst«. Wenn aber vor der Nächstenliebe die »Selbstliebe« steht, dann stellt sich sehr schnell die Frage, wie diese so wichtige »Selbstliebe« zu erlangen ist. Walter Trobisch beschreibt ihr Entstehen damit, daß schon der Säugling sich angenommen und geliebt wissen muß. »Ich kann mich nur annehmen, wenn ich angenommen bin; nur lieben, wenn ich geliebt werde und mich selbst lieben lasse.«[4]

Auch hier sind wieder die Eltern herausgefordert, ihr Bestes zu geben, damit Kinder sich selbst annehmen können.

Noch umfassender, dauerhafter und vollkommener als die Liebe und Geborgenheit, die Eltern ihren Kindern geben können, ist die Liebe Gottes zu den Menschen.

»Ich habe dich je und je geliebt, darum habe ich dich zu mir gezogen aus lauter Güte« (Jeremia 31,3).

»Darum nehmt einander an, wie Christus euch angenommen hat zu Gottes Lob« (Römer 15,7).

»Laßt uns lieben, denn er hat uns zuerst geliebt« (1. Johannes 4,19).

Alle drei Bibeltexte sagen aus, daß Gottes Liebe zu den Menschen zuerst da war. Noch bevor Gott das Gebot der Nächstenliebe gab, hatte er schon die Voraussetzung für dessen Erfüllung gegeben: Er liebte die Menschen. Gott stellt keine unmöglichen Forderungen. Indem er uns zuerst geliebt hat, macht er es uns möglich, den Nächsten anzunehmen. Nächstenliebe ist vor allem eine praktische Sache. Sie muß von den Eltern vorgelebt werden, da das Kind seine Verhaltensweisen insbesondere durch das Vorbild der Eltern erwirbt, die es nachahmt. »Es kommt also nicht nur darauf an, daß ein Kind am Anfang die Erfahrung der Liebe an sich selber macht. Ebenso wichtig ist es, daß es dazu gebracht wird, Zuwendung an andere weiterzugeben.«[5]

Die ersten Kontakte knüpft das Kind zu seiner Verwandtschaft: Mutter, Vater, Geschwister, Großeltern. Je älter das Kind wird, um so größer wird auch der Kreis von Menschen, mit denen es zusammentrifft und sich auseinandersetzen muß. Dabei wird es auch Menschen kennenlernen, die ihm unangenehm, fremd, anders, unheimlich oder abstoßend vorkommen. Die Eltern können versuchen, mit der Art, in der sie auf Fremde zugehen, zu zeigen, daß sie Achtung vor dem Anderssein haben. Sie können es fördern, daß ihre Kinder offene Augen für die Situation anderer Menschen bekommen, und sollten ihnen helfen, Erlebnisse dieser Art, die die Kinder vielleicht verwirren, zu verarbeiten. Wenn die Eltern sich bemühen, Kontakt zu den Menschen in ihrer Umgebung zu bekommen, wenn sie sich um Außenseiter unserer Gesellschaft kümmern, wenn sie sich bemühen, in ihrem Reden über andere Positives zu sagen, dann wird diese Art des Umgehens mit den Mitmenschen von den Kindern wahrscheinlich übernommen werden.

Die folgende Geschichte zeigt, wie Kinder Verständnis für die Situation anderer bekommen können. Eltern sollten versuchen, ihren Kindern derartige Erfahrungen häufig zu vermitteln.

Oma Möller

»Geh mal rauf zu Oma Möller und frag, ob du für sie einkaufen kannst«, sagte die Mutter zu Pussi.

»Och«, maulte Pussi, »gerade wollte ich zu Gabi, Mutter und Kind spielen.«

»Das kannst du dann auch noch«, meinte die Mutter. »Stell dir vor, es wäre unsere Oma, die da immer allein säße.«

»Kann ich nicht erst spielen und dann raufgehen?«

»Könntest du auch. Aber weißt du, wenn du so alt bist wie Oma Möller und immer so allein, dann freust du dich auch, wenn jemand kommt.«

Also zog Pussi los und stieg die Treppe hinauf.

»Das ist aber nett, daß du mal hereinguckst«, freute sich Oma Möller, als sie die Tür geöffnet hatte.

Pussi betrachtete die Bilder mit den altmodisch gekleideten Leuten, die an der Wand hingen. »Ist das dein Mann?« fragte sie und zeigte auf einen Mann mit einem Schnurrbart in einem ovalen Rahmen.

»Ja«, sagte Oma Möller.

»Ist der schon lange tot?« fragte Pussi.

»Dreiundzwanzig Jahre«, sagte Oma Möller. Dann drehte sie sich um und fragte: »Wie geht es dir denn?«

»Och«, sagte Pussi, »ganz gut.«

»Setz dich ein bißchen hin«, sagte Oma Möller und humpelte zu ihrem Sessel vor dem Fernseher.

»Kann ich was besorgen?« fragte Pussi und blieb stehen.

»Setz dich doch, setz dich hin!«

»Ich möchte lieber einkaufen.«

»Erzähl mir ein bißchen«, bat Oma Möller, »was hast du heute alles schon erlebt?«

Pussi setzte sich zögernd hin. »Warum sitzt du den ganzen Tag hier im Zimmer?«

»Kind«, sagte Oma Möller, »meine Knie wollen nicht mehr. Ich kann die Treppe nicht mehr steigen.«

»Puh, ist mir heiß! Hast du's immer so warm?«

»Das bin ich so gewöhnt. Weißt du, wenn man alt wird, hat man es gerne ein bißchen wärmer.«

»Was riecht das hier komisch«, sagte Pussi.

»Das sind die heißen Kamillen«, sagte Oma Möller, »damit mache ich mir Umschläge.«

»Warum besucht dich denn keiner?«

»Ach«, sagte Oma Möller, »die sind alle tot. Und die noch leben, können auch nicht mehr laufen und Treppen steigen.«

»Ach so«, sagte Pussi, setzte sich auf einen Stuhl an den Tisch und fing an und erzählte, was ihr einfiel, von Bömmel und Uli, von Vitti und Nina.

Nach einer halben Stunde sagte sie: »Jetzt muß ich aber einkaufen.«

Oma Möller gab ihr Geld und eine Tasche.

»Dafür kannst du dir ein Eis kaufen«, sagte sie und gab Pussi fünfzig Pfennig, als sie zurückkam.

»Na«, fragte die Mutter, als Pussi ihre Puppe holte, »habt ihr euch gut unterhalten?«

»Sie ist immer allein, Mama«, sagte Pussi, »morgen geh ich wieder hinauf.«[6]

Daß Nächstenliebe nicht nur eine bequeme Angelegenheit ist, machte Jesus einmal anschaulich klar:

Er wurde von einem Schriftgelehrten gefragt, wer denn der Nächste sei, den man diesem Gebot gemäß lieben solle. Darauf antwortete er mit einem Beispiel:

»Es war ein Mensch, der ging von Jerusalem hinab nach Jericho und fiel unter die Räuber; sie zogen ihn aus und schlugen ihn und machten sich davon und ließen ihn halbtot liegen. Es traf sich aber, daß ein Priester dieselbe Straße hinabzog; und als er ihn sah, ging er vorüber. Desgleichen auch ein Levit: als er zu der Stelle kam und ihn sah, ging er vorüber. Ein Samariter aber, der auf der Reise war, kam dahin; und als er ihn sah, jammerte es ihn; und er ging zu ihm, goß Öl und Wein auf seine Wunden und verband sie ihm, hob ihn auf sein Tier und brachte ihn in eine Herberge und pflegte ihn. Am nächsten Tag zog er zwei Silbergroschen heraus, gab sie dem Wirt und sprach: Pflege ihn; und wenn du mehr ausgibst, will ich dir's bezahlen, wenn ich wiederkomme. Wer von diesen dreien, meinst du, ist der Nächste gewesen dem, der unter die Räuber gefallen war? Er sprach: Der die Barmherzigkeit an ihm tat. Da sprach Jesus zu ihm: So geh hin und tu desgleichen!« (Lukas 10,30–37).

Jesus will damit ausdrücken, daß, wo immer Hilfe benötigt wird, der Mensch aufgerufen ist, sie zu geben. Egal, in welch schwierige Lage er sich selbst damit bringt und welche Opfer es von ihm erfordert. In dem von Jesus erzählten Beispiel riskiert der Samariter sein eigenes Leben, anstatt sich schnell von der gefährlichen Gegend zu entfernen, wo eventuell auch er überfallen werden könnte. Er nimmt den beschwerlichen Weg mit dem Schwerverletzten auf sich und scheut auch nicht vor der finanziellen Unterstützung des Hilfsbedürftigen zurück, obwohl er selbst ja »nichts davon hat«.

Es ist Aufgabe der Eltern, ihr Kind dazu anzuleiten, die Hilfsbedürftigkeit seiner Mitmenschen zu erkennen und es Möglichkeiten finden zu lassen, für andere da zu sein. Es gibt auch schon für Kinder Möglichkeiten, zu helfen: sich für jemanden Zeit nehmen, zuhören, trösten, teilen, abgeben, Mitgefühl zeigen, sich auf die Seite des Außenseiters stellen, jemanden verteidigen. Nebeneffekte solcher Hilfeleistungen sind: Weitung des kindlichen Horizonts, Vielseitigkeit des Alltags, Einübung in den Umgang mit Menschen in anderen Situationen ...

Wie eng die Liebe zu Gott und zum Nächsten miteinander verbunden ist, erläutert Jesus noch an anderer

Stelle: »Was ihr getan habt einem von diesen meinen geringsten Brüdern, das habt ihr mir getan« (Matthäus 25,40). In diesem Satz wird die praktische Seite der Liebe zu Gott herausgestellt. Wer sich von Gott lieben läßt und Vertrauen zu ihm hat, bekommt auch die Kraft geschenkt, seine Mitmenschen zu lieben.

c) Vergebungsbereitschaft

Zu den wesentlichen Zielen religiöser Erziehung gehört ohne Frage auch das Vergebenkönnen. Ohne dies ist harmonisches menschliches Zusammenleben nicht möglich.

So wie Gott dem Menschen zuerst vergeben hat und ihn dann zur Vergebung aufruft, so müssen auch Kinder erst die Erfahrung machen, daß ihnen vergeben wird.

»Seid aber untereinander freundlich und herzlich und vergebt einer dem andern, wie auch Gott euch vergeben hat in Christus« (Epheser 4,32).

Es ist für ein Kind viel zu abstrakt, von einem Gott zu hören, der Sünden vergibt. Die kindlichen Denkvorgänge sind ganz konkret. Es kann nur das verstehen, was es schon gesehen, erlebt oder gefühlt hat. Deshalb kann es sich einen vergebenden Gott auch nur vorstellen, wenn es derartiges schon erlebt hat.

Eine überaus wichtige Erfahrung ist es, wenn Kinder erleben, daß ihre Eltern zugeben, einen Fehler gemacht zu haben und das Kind um Entschuldigung bitten. Dadurch erfährt das Kind, daß es etwas ganz Normales, Menschliches ist, wenn man Fehler macht. Wichtig ist allerdings, wie man sich danach verhält.

In der folgenden Geschichte wird ein solcher Konflikt geschildert.

Mutter macht einen Fehler

Die Mutter wollte einkaufen gehen. Als sie das Portemonnaie öffnete, war es leer. Merkwürdig, dachte sie, da waren doch noch fünf Mark drin! Dann ging sie in das Schlafzimmer, holte Geld, zog den Mantel an und ging los.

Als sie beim Bäcker um die Ecke kam, sah sie zum Kiosk hinüber. Da flitzten gerade ein paar Kinder hinter die Bude. Da waren doch Pussi und Bömmel dabei! Warum versteckten sie sich denn? Sie ging über die Straße und um den Kiosk herum. Da standen sie alle, Pussi, Bömmel, Andreas, Peter und Gisela. Und jeder leckte an einem Eis.

»Warum versteckt ihr euch denn?« fragte die Mutter.

»Och«, sagte Pussi, »nur so«, und leckte.

»Woher habt ihr denn das Geld für das Eis?« fragte die Mutter, und plötzlich fielen ihr die fünf Mark wieder ein, die fehlten.

»Bömmel hatte das«, sagte Andreas.

Bömmel wurde rot.

»Soso«, sagte die Mutter, »Bömmel hatte das?«

»Ich hab es gefunden«, sagte Bömmel und wurde rot im Gesicht.

»Komm mal mit«, sagte die Mutter und nahm ihn an der Hand. Und dann ging sie mit ihm nach Hause.

»Wieviel Geld hast du denn gefunden?« fragte sie.

»Zwei Mark«, antwortete er.

»Ihr wart aber fünf, und ein Eis kostet sicher fünfzig Pfennig.«

»Sechzig«, sagte er.

»Dann waren es drei Mark. Wo hast du die her, wenn du nur zwei gefunden hast?«

»Gila hatte auch noch eine«, sagte er.

»Bömmel«, sagte sie, »hast du das Geld aus meinem Portemonnaie genommen?«

»Nee«, sagte er, »habe ich nicht.«

»Wo hast du es denn gefunden?«

»Da beim Kiosk.«

»Wo? Ich will es genau wissen.«

»Genau weiß ich es nicht mehr.«

»Bömmel, lüg mich nicht an.«

»Ich lüg ja gar nicht«, sagte Bömmel und fing an zu weinen.

»Jetzt heulst du auch noch«, sagte die Mutter. »Sei wenigstens ehrlich und gib es zu.«

»Aber wenn ich es doch nicht genommen habe!« heulte Bömmel.

»Mir fehlen fünf Mark«, sagte die Mutter, »und du gibst für fünf Kinder Eis aus.«

»Geh doch hin und frag den Mann«, rief Bömmel.

»Was nützt das?« sagte die Mutter und wurde immer wütender. »Der weiß doch auch nicht, woher du das Geld hast.«

»Aber ich hab es nicht genommen«, schrie Bömmel.

»Werd nicht noch frech!« Die Mutter war jetzt wütend. »Wenn du wenigstens ehrlich wärst, aber du lügst mich an.«

Es klingelte. Andreas, Peter, Vitti, Uli und Gabi standen vor der Tür. »Kommt Bömmel raus?« fragten sie.

»Nein«, sagte die Mutter, »der bleibt drin.«

»Den ganzen Tag?« fragte Bömmel.

»So lange, bis du ehrlich bist«, sagte die Mutter und schloß die Tür.

Als der Vater nach Hause kam, sagte die Mutter: »Ich hab großen Ärger gehabt mit Bömmel.«

»Warum?« fragte der Vater.

»Der Kerl hat fünf Mark aus meinem Portemonnaie

genommen, allen ein Eis spendiert, und mich hat er angelogen und wollte mir erzählen, er hätte das Geld gefunden.«

»Er hat nicht gelogen«, sagte der Vater.

»Wieso weißt du das?« fragte die Mutter verblüfft.

»Die fünf Mark habe ich heute morgen aus deinem Portemonnaie genommen. Ich brauchte Fahrgeld. Ich hab vergessen, es dir zu sagen.«

»Oh«, sagte die Mutter und setzte sich hin. »Was mache ich denn nun?« Sie überlegte einen Augenblick, dann rief sie Bömmel.

»Es tut mir leid«, sagte sie, »ich hab dir Unrecht getan. Papa hat das Geld aus meinem Portemonnaie genommen. Entschuldige bitte, daß ich gesagt habe, du lügst.« Sie nahm ihn in den Arm, und er legte seinen Kopf auf ihre Schulter, damit sie nicht sah, daß er Tränen in den Augen hatte.

Später, als er im Bett lag und das Licht aus war, sagte er unsicher:

»Du, Pussi?«

»Ja?«

»Hätte ich die zwei Mark zurückgeben müssen?«

»Wem denn? Du weißt doch gar nicht, wem sie gehörten.«

»Ich hätte sie dem Mann in der Bude geben können.«

»Dann hätte der sie behalten!«

»Ich weiß nicht«, sagte Bömmel.

Und als die Eltern im Bett lagen, sagte die Mutter:

»Ich war fest überzeugt, daß Bömmel das Geld genommen hatte. Merkwürdig, wie schnell man einem anderen Unrecht tun kann.«

»Hm«, brummte der Vater. Er war am Einschlafen.

Und die Mutter drehte sich um und sagte für sich: »Lieber Gott, hilf mir, besser zu werden, als ich bin.«[7]

Eltern, die unentwegt vorgeben, vollkommen zu sein, und jeden Fehler leugnen, sind nicht glaubhaft und geben an ihr Kind leider die Haltung weiter: »Alles, was ich mache, ist richtig, nur die anderen machen alles falsch.«

In einer Familienatmosphäre dagegen, in der man sich für Fehler entschuldigt, weil sie einem leid tun, und der andere die Entschuldigung annimmt und vergibt, wird das Kind keine Angst davor entwickeln, den Eltern zu sagen, was es falsch gemacht hat. Es muß nicht befürchten, dabei sein Gesicht zu verlieren, und es merkt, daß seine Eltern es trotzdem weiterlieben, mag auch das, was es getan hat, sehr unschön gewesen sein.

Das ist ja auch das Entscheidende an der Haltung Gottes uns Menschen gegenüber: Er macht einen Unterschied zwischen dem Sünder und der Sünde. »Also hat Gott die Welt geliebt, daß er seinen eingeborenen Sohn gab, damit alle, die an ihn glauben, nicht verloren werden, sondern das ewige Leben haben« (Johannes 3,16). Mit diesem »alle« sind eben alle gemeint, die großen und die kleinen, die alten und die jungen Sünder. Dieses »alle« verbindet Eltern und Kinder, und aus der eigenen Erfahrung des Angenommenseins durch Vergebung nehmen die Eltern die Kinder mit in diese Liebe Gottes.

Diese Haltung können auch Eltern ihrem Kind gegenüber zeigen.

Es ist wichtig, im Konfliktfall auch die richtige Formulierung zu finden. Ein Beispiel möge dies verdeutlichen:

Die fünfjährige Anja hat sich von ihrer Mutter das Buch mit den schönen bunten Tierfotos ausgeliehen und sieht es sich im Garten auf der Wiese an. Am nächsten Morgen sieht sie erschrocken, daß sie das Buch über Nacht draußen liegengelassen hat. Es hat die ganze Nacht im Regen gelegen und ist völlig verdorben. Mit schlechtem Gewissen rennt sie zur Mutter und zeigt ihr, was geschehen ist.

Die Mutter kann mit verschiedenen Worten darauf reagieren. Sie sagt:

(1) Du bist ein schrecklich schlampiges Kind. Nie paßt du auf deine Sachen auf. Dir kann man ja nichts anvertrauen.

(2) Ich bin wirklich sehr ärgerlich. Du hättest besser auf das Buch aufpassen müssen. Geh bitte sorgfältiger mit den Sachen um, die du dir von mir leihst.

Bei dem ersten Beispiel schimpft die Mutter auf die Person des Kindes. Das Kind fühlt sich dadurch als Mensch verachtet und abgelehnt. Es entnimmt aus diesen Worten, daß es unfähig, schlampig und unzuverlässig ist. Die Folge davon ist, daß es total entmutigt wird und in ähnlichen Situationen seine Fehler nicht mehr so offen zugibt, um der Ablehnung der Mutter zu entgehen.

Im zweiten Beispiel geht die Mutter mit keinem Wort auf Eigenschaften des Kindes ein. Es *ist* nicht schlampig oder gar schlecht, es hat nur etwas Nachlässiges *getan.* Das erste Beispiel trifft das Sein des Kindes, seine Persönlichkeit. Ein Kind, das entmutigt über seine kleine »schlechte« Person ist, hat wenig Kraft und Ehrgeiz, sich zu ändern, es ist ja scheinbar doch hoffnungslos.

Im anderen Fall wird lediglich sein Verhalten gerügt. Dies läßt ihm die Chance, sich zu ändern; es macht Mut, das nächste Mal sorgfältiger zu sein.

II. Gottesbilder

Die Vorstellung, die ein Mensch von Gott hat, wird geprägt durch die religiösen Erfahrungen, die er im Laufe seines Lebens macht, und von dem, was ihm über Gott gesagt wird und was er über ihn liest. Meist wird das so entstandene Gottesbild der Eltern, Großeltern, Kindergärtnerinnen und Lehrer dem Kind weitergegeben. Deshalb sollen Erzieher ihr eigenes Gottesbild überprüfen, ob es biblisch ist, ob es ein absolut vertrauenswürdiger liebender Gott ist, den sie Kindern vermitteln.

Eine bibelorientierte Gotteserkenntnis ist angewiesen auf Gottes Selbstoffenbarung, die in der Bibel und in Christi Menschwerdung deutlich wird.

In der Bibel findet man deshalb auch zahlreiche Hinweise über das Wesen Gottes. Da ist zunächst der Text in 1. Mose 1,27 zu nennen: »Gott schuf den Menschen zu seinem Bilde, zum Bilde Gottes schuf er ihn.«

Es ist schwierig, sich Ähnlichkeiten zwischen Gott und Mensch vorzustellen. Vermutlich ist hier gemeint, daß der Mensch ebenso wie Gott Vernunft, Geist und freien Willen besitzt, daß er eine Person ist.

Pfarrer H. M. Schulz weist darauf hin, wie schwierig es ist, sich Gott zwar als Person, aber nicht menschlich vorzustellen. Er schlägt deshalb vor, unmißverständlicher auszudrücken, daß Gott *personal* ist, was bedeutet, daß Gott ansprechbar ist. Er ist demnach keine anonyme Macht, der die Menschen hilflos ausgeliefert sind[8].

Weiterhin heißt es in der Bibel, daß Gott Liebe ist und diese Liebe am stärksten darin zeigte, daß er Christus zur Errettung der Menschen in die Welt sandte (1. Johannes 4,8–9). Gott ist außerdem der Schöpfer von Himmel und Erde (1. Mose 1). Er ist allmächtig (Psalm

62,12). Er ist allgegenwärtig (Psalm 139). Er ist heilig (Hosea 11,9).

Leider sind die Vorstellungen, die sich Menschen von Gott machen, nicht immer an der Bibel orientiert. Viele Erwachsene haben nicht deshalb eine Gott-ist-tot-Philosophie entwickelt, weil sie Gott nicht brauchen – nein, sie sind eigentlich auf der Suche nach einem Halt, einem Sinn, nach jemandem, der sie bedingungslos annimmt und liebt. Aber der Gott, der in ihrer Vorstellung entstanden ist, ist ein schrecklicher Gott – oder vielleicht jener liebe alte Opa aus Kindertagen, der nicht einmal in der Lage ist, das schreckliche Leid, das es überall auf der Erde gibt, von den Menschen abzuwenden. Dieser Gott hält einer kritischeren Hinterfragung durch Jugendliche und Erwachsene einfach nicht mehr stand.

Welche schlimmen Auswirkungen ein falsches Gottesbild haben kann, beschreibt der Psychoanalytiker Tilman Moser wortgewandt in seinem Buch »Gottesvergiftung« stellvertretend für viele Erwachsene. Wie viele Menschen sich von seinem Buch angesprochen fühlten, weil sie sich mit ihren eigenen Erfahrungen wiederfanden, zeigen die hohen Auflagenzahlen.

Einige Gedanken daraus werden im folgenden zitiert:

»Weißt du (lieber Gott), was das Schlimmste ist, das sie (die Eltern) über dich erzählt haben? Es ist die tückisch ausgestreute Überzeugung, daß du alles hörst und alles siehst und auch die geheimen Gedanken erkennen kannst. Hier hakte es sehr früh aus mit der Menschenwürde; doch dies ist ein Begriff der Erwachsenenwelt. In der Kindheit sieht das dann so aus, daß man sich elend fühlt, weil du einem lauernd und ohne Pausen des

Erbarmens zusiehst und zuhörst und mit Gedankenlesen beschäftigt bist. Vorübergehend mag es gelingen, lauter Sachen zu denken oder zu tun, die dich erfreuen, oder die dich zumindest milde stimmen. Ganz wahllos fallen mir ein paar Sachen ein, die dich traurig gemacht haben, und das war ja immer das Schlimmste: dich traurig machen – ja, die ganze Last der Sorge um dein Befinden lag beständig auf mir, du kränkbare, empfindliche Person, die schon depressiv zu werden drohte, wenn ich mir die Zähne nicht geputzt hatte.«

»Fast zwanzig Jahre lang war es mein oberstes Ziel, dir zu gefallen. Das bedeutet nicht, daß ich besonders brav gewesen wäre, sondern daß ich immer und überall Schuldgefühle hatte.«

»Im Grunde genommen mußten die Eltern gar nicht mehr sehr viel Erziehungsarbeit leisten, der Kampf um das, was ich tun und lassen durfte, vollzog sich nicht mit ihnen als menschliche Instanz, mit der es einen gewissen Verhandlungsspielraum gegeben hätte, sondern die ›Selbstzucht‹, wie das genannt wurde, war mir überlassen, oder besser, der rasch anwachsenden Gotteskrankheit in mir. – Du hast mir dann kaum noch Chancen gelassen, mit mir selbst ein auskömmliches Leben zu führen.«

»Dir verdanke ich die Erfahrung der schrecklichsten Dimension: sich verworfen fühlen ... Ich denke dann: keiner kann mich je lieben, und mein Leben ist im tiefsten Grunde vergeblich.«

»Aber soviel weiß ich heute: Es ist ungeheuerlich, wenn Eltern zum Zwecke der Erziehung mit dir paktieren, dich zu Hilfe nehmen bei der Einschüchterung.«[9]

Was beim Lesen dieser Bekenntnisse so betroffen macht, ist die Tatsache, daß Tilman Moser den Falschen anklagt. Nicht Gott gehört hier auf die Anklagebank, sondern die Eltern, die ihrem Kind einen Gott vermittelt haben, den es so überhaupt nicht gibt, der aber schreckliche Dimensionen angenommen hat.

Sicher, so furchtbar wird es in der Seele der Kinder, die nun eine Generation später leben, nicht mehr aussehen. Und doch – der schreckliche, furchterregende, alles bösartig überwachende Gott ist leider aus der Erziehung noch nicht ausgerottet.

Wenn man seinem Kind in der Erziehung gerecht werden möchte, wenn man die Probleme, die dabei auftreten, für sich selber, aber auch für das Kind gut lösen möchte, ist dies eine Aufgabe, die sehr viel Kraft, Einfühlungsvermögen, Selbstbeherrschung und Kreativität erfordert. Eine Leistung, zu der man unmöglich immer in der Lage sein kann, wie das folgende Beispiel zeigt:

> Es ist kurz vor dem Mittagessen. Dennis (drei Jahre alt) macht sich am Kühlschrank zu schaffen, weil er großen Hunger hat. Die Mutter sagt: »Es gibt gleich Essen, iß jetzt bitte keine Kekse mehr!« Dennis nörgelt und steht ihr dauern im Weg. Sie hat noch alle Hände voll zu tun und schickt ihn mit barschen Worten aus der Küche. Kurz darauf hört sie das Baby laut schreien. Sie läuft ins Kinderzimmer und sieht, daß Dennis das Baby absichtlich geweckt hat. Jetzt platzt ihr der Kragen und sie sagt ärgerlich zu ihm: »Von so bösen Kindern wie dir will der liebe Gott nichts wissen!«

Ohne Frage war die Situation sowohl für Dennis, als auch für die Mutter schwierig. Dennis war hungrig, vielleicht auch müde und vor allem wollte er Aufmerksamkeit haben. Aus verständlichen Gründen konnte sich die Mutter aber keine Zeit für ihn nehmen. Mit der Essensvorbereitung, dem nörgelnden Dennis und dem jetzt auch noch schreienden Baby war sie überaus belastet und zu überlegten Erziehungmaßnahmen wohl nicht in der Lage.

Sicher hätte Dennis es besser verkraftet, wenn seine Mutter laut geschimpft hätte oder ihren Ärger auf irgendeine andere Art zum Ausdruck gebracht hätte. So aber hat sie einen schlimmen Fehler begangen. Der Junge ist jetzt über die Maßen enttäuscht:

»Was, der liebe Gott mag mich nicht mehr? Er hat mich nicht mehr lieb, weil ich ungezogen war! Ob ich ihm heute abend beim Beten auch nichts erzählen darf?« So oder ähnlich könnten die Gedanken sein, die das Kind bewegen. Und letztendlich wird dadurch vielleicht eine Abwendung von Gott hervorgerufen.

Wie kam die Mutter darauf zu sagen, daß Gott nichts mehr vom Kind wissen wolle? Diese absolut falsche und unbiblische Aussage mag sie vielleicht selbst von ihren Eltern gehört haben. Es gibt jedoch keine Situation, für die ein solcher elterlicher Kommentar zutreffen könnte!

Gott lehnt kein Kind ab, weil es Unfug macht, wie er ja Kinder auch weiterhin liebt, die verbotenerweise naschen, oder vielleicht ihr Spielzeug gegen die Angriffe anderer Kinder vehement verteidigen.

Sätze wie »Jetzt ist der liebe Gott aber traurig über dich« oder »Der liebe Gott hat gesehen, daß du Peter gehauen hast, und ist jetzt ganz böse auf dich«, haben nichts, absolut gar nichts, in der Erziehung zu suchen.

Die Wirkung solcher Reden auf das Kind ist verheerend und in keiner Weise hilfreich. Auf der einen Seite sagen die Eltern, daß man Gott vertrauen kann; im Gebet kann man ihm alles sagen; und nun soll dieser Gott plötzlich kein Verständnis für die vielen kleinen Nöte und Bedürfnisse und Bösartigkeiten der Kinder haben!

Außerdem ist ein Gott, vor dem man sich fürchten muß, nicht gerade vertrauenerweckend – obwohl von der »Furcht Gottes« viel in der Bibel zu lesen ist, aber doch in der ganz anderen Bedeutung von Ehrfurcht, Achtung und immer wird das Wort an Erwachsene gerichtet.

Die Religionspädagogin M. Leist befürchtet sogar eine noch schlimmere Reaktion beim Kind: »Gegen eine so furchtbare Drohung (daß Gott nichts mehr von einem wissen will) kann man sich nur schützen, indem man sie nicht ernst nimmt ... Ist es ein Wunder, daß, wenn die Kinder zum Nachdenken über ihre Erfahrungen kommen, etwa in der Pubertät, sie von diesem unverständigen, boshaften, nachträgerischen und hinterhältigen Gott nichts mehr wissen wollen?«[10]

Oft ist hinter solchen Drohungen auch die Ohnmacht der Eltern gegenüber dem schlechten Verhalten ihrer Kinder zu sehen. Nur leider lassen sich Erziehungsprobleme keinesfalls durch derartige Äußerungen bewältigen, wie es z.B. auch völlig sinnlos ist, Kinder durch Schläge von irgendeinem unerwünschten Verhalten abbringen zu wollen. Sicher, oberflächlich gesehen führen solche Erziehungsmethoden zu einem Ergebnis: Aus lauter Angst vor weiteren Schlägen der Eltern bzw. der Ablehnung des überaus mächtigen Gottes, wird das Kind vielleicht ab und zu sein Fehlverhalten lassen. Aber der Preis, der dafür gezahlt wird, ist zu hoch: Das Kind hat kein Vertrauen mehr. Gehorsam nur unter Aufsicht und aus Angst vor dem Erwischtwerden anstelle von Einsicht ist nichts wert und macht das Kind abhängig und unfrei.

Natürlich darf dies nicht bedeuten, daß Eltern vor lauter Bedenken, etwas falsch zu machen, ihre Kinder nun gar nicht mehr erziehen sollen, daß die Kinder ihren Willen nun uneingeschränkt durchsetzen dürfen. Das wäre wirklich furchtbar! Außerdem würde man damit niemandem, zu allerletzt den Kindern, einen Gefallen tun.

Leider ist es unmöglich, im Rahmen dieses Buches die Prinzipien einer Erziehung, die weitgehend ohne Zwang und entwürdigende Strafen (Schläge, Liebesentzug, Druckmittel verschiedenster Art) arbeitet, und die eine immer stärker werdende Selbstbestimmung des Kindes anstrebt, detailliert darzustellen. Deshalb möchte ich hinweisen auf das Buch von R. Dreikurs, »Kinder fordern uns heraus«, das mir persönlich und vielen anderen Eltern auch phantastische Prinzipien, aber auch ganz viele praktische Hinweise für den Erziehungsalltag gegeben hat.

Ein falsches Gottesbild entsteht nicht immer so offensichtlich! Ein wichtiger Bereich in diesem Zusammenhang ist die religiöse Kinderliteratur, die sorgfältig ausgesucht werden muß. Zu viele Verfasser dieser Bücher müssen sich leider die Kritik gefallen lassen, daß sie Gott so negativ darstellen, daß das Kind ihn nicht annehmen kann. In diese Gefahr geraten auch Autoren und Illustratoren biblischer Erzählbücher, wenn sie die Texte nicht sorgfältig genug für das betreffende Alter aussuchen. Kindern die Landnahmegeschichten mit ihren Kriegen auszumalen, kann das Gottesbild sehr nachteilig beeinflussen. Das beweisen die Fragen der Erwachsenen, die zwar die Geschichten kennen, nicht aber deren Hintergrund: Gottes Geduld, bis das Maß an Bosheit jener Völker voll ist, sie zum Gericht »reif« sind. Doch das sind kaum Themen für Fünfjährige.

Eine andere Art von Geschichten tadelt moralisierend die oft ganz natürlichen Bedürfnisse oder Reaktionen von Kindern. Aber auch das Kind, daß seine negativen Gefühle dem neuen Geschwisterchen gegenüber nicht unter Kontrolle halten kann, oder das Kind, das gerade einmal keine Lust zum Beten hat, ist voll und ganz von Gott angenommen.

Nach welchen Kriterien sollte man nun christliche Kinderbücher auswählen?

- Der Glaube darf nicht mit Moral verwechselt werden.
- Das Gottesbild in der Geschichte muß dem biblischen entsprechen.
- Die christlichen Elemente müssen sorgfältig in die Handlung eingebaut sein, sie dürfen nicht aufgesetzt wirken.
- Sie müssen dem kindlichen Verständnis angepaßt sein.
- Sie müssen das Kind ansprechen und fesseln, indem sie spannend oder lustig sind, Identifikationsmöglichkeiten für den kleinen Zuhörer bereithalten und die Erlebniswelt des Kindes treffen.
- Die Übersättigung mit Bekehrungsgeschichten kann für ein lebenslanges Abwehrsystem gegen christliche Bücher sorgen. Deshalb ist eine gesunde Dosierung wichtig, selbst wenn sich das Kind liebend gern mit solchen Büchern beschäftigt – oder gerade dann.
- Manchmal werden Märchen von christlichen Eltern skeptisch betrachtet. Aber auch sie nehmen einen wichtigen Platz bei der Förderung und Erziehung von Kindern ein. Nur müssen die Eltern sorgfältig darauf achten, daß die Wahrheit der Märchen von der Wahrheit der Bibel unterschieden wird.

Wo die Eigenschaft Gottes, allgegenwärtig zu sein, zu Erziehungszwecken allzu gern und oft negativ dargestellt und damit mißbraucht wird, übersieht man, daß es sich dabei ja eigentlich um eine sehr schöne Sache handelt: In welch schwieriger Lage sich der Mensch auch befinden mag, Gott ist da, er ist immer ansprechbar, immer zur Hilfe bereit, er durchbricht jede Einsamkeit – und auch Kinder leiden unter Einsamkeit und fühlen sich hilfsbedürftig.

Alle in diesem Kapitel genannten Negativbeispiele entstehen aus einem falschen Bibelverständnis. Es besagt, daß der Mensch gute Werke tun muß, um Gott zu gefallen.

Was Gott von uns erwartet, ist aber etwas ganz anderes. Die Bibel nimmt dazu eindeutig Stellung: »Doch weil wir wissen, daß der Mensch durch Werke des Gesetzes nicht gerecht wird, sondern durch den Glauben an Jesus Christus, sind wir auch zum Glauben an Jesus Christus gekommen, damit wir gerecht werden durch den Glauben an Christus und nicht durch Werke des Gesetzes; denn durch Werke des Gesetzes wird kein Mensch gerecht« (Galater 2,16).

Das heißt, das Kind kann noch so gehorsam sein – wenn ihm der Glaube an Gott fehlt, ist es verloren. Glaube bedeutet Gott zu vertrauen, mit ihm zu rechnen. Dies ist die Aufgabe, die Eltern in der religiösen Erziehung zu bewältigen haben: Das Vertrauen des Kindes zu Gott zu wecken und zu stärken.

Da sich Gott nun in der Bibel und in der Menschwerdung Jesu offenbart, ist es sinnvoll, die Bibel zu lesen, wenn man Gott kennenlernen möchte. In den biblischen Begebenheiten zeigt sich Gott in ganz verschiedenen Situationen in differenzierter Weise. Je mehr man von der Bibel kennt, um so klarer wird das Bild von Gott, das sich aus seinen vielen Handlungsweisen mosaikartig vervollständigt.

Daraus darf nun allerdings nicht abgeleitet werden, daß man Kindern die Bibel zum Lesen in die Hand gibt, oder gar in noch jüngerem Alter möglichst viel daraus vorliest. Es muß ganz ausdrücklich betont werden, daß die Bibel kein Kinderbuch ist, sondern einer sorgfältigen Auswahl und kindgerechten Wiedergabe bedarf (vgl. Kapitel VII).

Jesus sagt von sich: »Ich und der Vater sind eins« (Johannes 10,30) und »Wer mich sieht, der sieht den Vater« (Johannes 14,9). Das bedeutet, daß man Gott auch in hohem Maße kennenlernen kann, wenn man sich mit dem Leben Jesu beschäftigt. Glücklicherweise berichtet die Bibel sehr viel davon. Außerdem hat Jesus selbst oft gepredigt und zahlreiche Gleichnisse erzählt, die Gottes Wesen darstellen (z.B. der verlorene Sohn in Lukas 15,11–32).

Es ist gut, wenn Kinder unter sieben Jahren einige dieser Begebenheiten und Gleichnisse kennenlernen; allerdings sollten auch wirklich nur wenige davon ausgewählt werden. Wenn Kinder hauptsächlich von Jesu Wundertaten hören, entsteht bei ihnen womöglich der Eindruck, Jesus sei ein Zauberer, der wie die Figuren in ihren Märchen nach Belieben ganz wundersame Dinge zustande bringt.

Da das kindliche Gottesbild nicht nur von dem geprägt wird, was es von Gott hört, sondern auch entscheidend vom Verhalten der Eltern, ist in seinen Augen – gerade in den ersten Lebensjahren, wenn es noch gar nichts oder erst wenig aus der Bibel gehört hat – das Verhalten Gottes mit dem der Eltern, insbesondere des Vaters, identisch. (Gott trägt in der menschlichen Vorstellung meist männliche Züge, weil Jesus ein Mann war und die Bibel Gott als unseren Vater bezeichnet.)

Wenn sich der Vater dem Kind freundlich zuwendet, wenn er sich Zeit nimmt, die kleinen Sorgen und Freuden seines Kindes anzuhören, wenn er mit ihm spielt und es wichtig nimmt, dann wird das Kind diese positive Erfahrung auf Gott übertragen.

Trotz aller Erfahrungen und Erkenntnisse bleibt die Vorstellung, die Menschen von Gott haben, unvollständig. Gott ist einfach nicht in einem bestimmten Bild festzuhalten, er läßt sich nicht dingfest machen, auch wenn die Tatsache, daß er ja Person ist, diese Illusion bei Kindern und häufig auch Erwachsenen weckt. Jeder Versuch, Gott in ein Schema zu pressen, muß scheitern, weil der Mensch in seiner Gotteserfahrung zwangsläufig an Grenzen stößt. Gott ist eben teilweise sehr unbegreiflich.

Diese Erfahrung werden Kinder selbst machen, und dann ist es für sie hilfreich zu wissen, daß Gott im Leben der Eltern trotz seiner Unbegreiflichkeit einen wichtigen Platz einnimmt, daß sie Gott nicht gleich verwerfen, nur weil sie sein Handeln vielleicht hin und wieder nicht verstehen können, sondern ihm weiterhin vertrauen, zu ihm beten.

III. Kinder fragen nach Gott

Der Wunsch des Kindes, Gott ganz konkret zu erleben, ihn mit Augen, Ohren und Händen erfassen zu können, kommt in dem folgenden Gebet zum Ausdruck:

> Gott, ich möchte dich gerne sehen!
> Ich möchte dich anfassen!
> Ich möchte dich hören!
> Das wäre schön!
>
> Aber ich kann dich nicht sehen,
> nicht anfassen, nicht hören.
> Meine Augen, meine Hände und
> meine Ohren suchen dich,
> Nirgends finden sie dich, du versteckter Gott!
>
> Gott, du bist trotzdem bei den Menschen.
> Du bist ein wunderbarer Vater.
> Du hörst uns alle.
> Du hilfst uns allen.
>
> Du bist bei uns, du bist in uns.
> Du bist nah, du bist fern.
> Du bist immer wieder neu!
> Ich möchte dich kennen, Gott!

Regine Schindler[11]

Die Frage nach Gott ist nicht neu. Schon Mose bat Gott damals: »Laß mich deine Herrlichkeit sehen.« Aber Gott antwortete: »Mein Angesicht kannst du nicht sehen; denn kein Mensch wird leben, der mich sieht« (2. Mose 33,18.20).

Gottes Herrlichkeit ist für Menschen in ihrer derzeitigen irdischen Daseinsweise so überwältigend, daß sie nicht ertragen werden könnte.

Eltern sollten vorbereitet sein, wenn ihre Kinder nach Gott fragen:

»Wer ist Gott?« – »Warum kann ich ihn denn nicht sehen?« – »Wie kann Gott überall gleichzeitig sein?« – »Ist Gott im Himmel?« – »Wie sieht er aus?« Diese oder ähnliche Fragen werden früher oder später beim Kind entstehen.

In diesem Kapitel werden einige kindgemäße Antwortvorschläge gegeben:

» *Gott ist* kein Mensch, er ist ***unsichtbar.*** Es ist so ähnlich wie mit der Luft. Die können wir auch nicht sehen. Aber sie ist überall um uns herum. Und wir brauchen sie ganz dringend. Ohne Luft könnten wir überhaupt nicht leben. Oder da ist die Elektrizität. Die kann man auch nicht sehen und trotzdem ist sie da. Wenn wir den Lichtschalter anknipsen, merken wir es. Genauso ist Gott bei uns, um uns zu helfen und zu behüten.«

»Weil *Gott* keinen Körper wie ein Mensch hat, ***kann*** er auch ***überall sein.*** Gleichzeitig hier und bei den Nachbarn. Er ist bei den Kindern in Australien und in Deutschland – zu jeder Zeit.«

»Eigentlich ist es doch auch gar nicht so wichtig, Gott zu sehen. *Die Hauptsache ist,* ***daß Gott bei uns ist,*** und das können wir ja merken. Gott möchte bei allen Menschen sein. Die Menschen müssen nur damit einverstanden sein.«

»*Stell' dir vor, ein Kind ist blind.* Es kann überhaupt nichts sehen. Keine Menschen, keine Autos, keine Wiese und auch nicht die Wolken am Himmel. Natürlich kann es auch seine Mutter nicht sehen. Es weiß deshalb auch nicht, wie die Mutter aussieht, aber es kennt genau ihre Stimme. Es merkt, wenn die Mutter im Raum ist. Das Kind weiß auch, daß es von der Mutter geliebt wird. Die Mutter sorgt nämlich für das Kind, tröstet es, wenn es sich wehgetan hat, schenkt ihm schönes Spielzeug, hilft ihm beim Anziehen, liest ihm Gute-Nacht-Geschichten vor. Das Kind weiß genau: Meine Mutter ist immer für mich da. So ähnlich ist es auch mit Gott.«

»Lange bevor es die Menschen und alle Dinge auf dieser Erde gab, lebte Gott schon. *Er war schon immer da und wird auch in Zukunft immer leben.* Gott hat alles geschaffen: Die Menschen, Tiere, Blumen und Bäume, die Berge und das Meer, die Sonne und die Sterne. Er wollte, daß es die Menschen so richtig schön auf der Erde haben.«

Die folgende Geschichte[12] ist auch eine mögliche Antwort:

Klaus sitzt im Wohnzimmer und starrt gedankenverloren vor sich hin.

»He!« sagt Vater. »Ist was?«

Klaus antwortet nicht.

Vater lacht. »Hör mal, du scheinst da Probleme zu wälzen ... Das müssen ja schon dolle Sachen sein, wenn du sogar deine geliebte Kinderstunde vergißt.«

»Ach die . . .«, brummt Klaus.

»Nanu?« Vater wundert sich. »Wo drückt denn der Schuh?«

Klaus holt tief Luft: »Ich habe Peter getroffen, als ich heute morgen aus dem Kindergottesdienst kam. Weißt du, was der gesagt hat?«

Vater schüttelt den Kopf. »Bin ich ein Hellseher?«

Da sprudelt es nur so aus Klaus heraus:

»Er hat gesagt, daß es albern ist, wenn ich in die Kirche gehe. Und daß überhaupt alles Quatsch ist mit Gott. Und daß es überhaupt keinen Gott gibt. Und daß es Blödsinn ist, wenn ich daran glaube.«

»Oho!« entgegnet Vater. »Und nun überlegst du, wer recht hat, du oder Peter, stimmt's?«

»Ja. Und Peter hat gesagt, daß er es beweisen kann.«

»Was?«

»Daß es Gott nicht gibt.«

»Und wie?«

»Man sieht ihn nicht. Man hört ihn nicht. Und darum ist alles nur Einbildung.«

»So, das sagt Peter.« Vater zieht sich einen Sessel heran. »Nun ja, es ist schon eine schwierige Sache mit Gott. Übrigens ist Peter nicht der einzige, der so von ihm redet. Aber sag mal, hat Peter eigentlich ein Radio?«

»Was hat das denn damit zu tun?« Klaus ist verblüfft. »Natürlich hat er eins zu Hause.«

Vater fährt unbekümmert fort: »Peter hat also ein Radio. Er hört damit Musik. Die Hit-Parade zum Beispiel. Aber – wie kommt die Musik eigentlich ins Radio? Wo ist sie her?«

»Sie wird vom Sender ausgestrahlt.«

»Gut. Aber der Sender ist weit weg. Wo ist die Musik in der Zwischenzeit, bevor sie ins Radio kommt? Wo ist sie, wenn du das Radio nicht einschaltest?«

»Hm. In der Luft glaube ich.«

»Richtig. Die Musik von der Hit-Parade ist in der Luft. Um uns herum. Zwischen den Bäumen. Auf der Straße. Hier im Zimmer. Wir hören sie bloß nicht.«

»Wir haben ja auch keine Antenne am Kopf.«

»Eben. Das Radio fängt die Musik mit der Antenne ein und macht sie dann für uns hörbar. Mit dem Fernsehen ist es ähnlich. Ständig sind um uns herum Bilder, bunte, schwarzweiße, lustige und ernste. Aber wir merken von ihnen nichts. Erst der Fernseher macht sie für uns sichtbar. Wir selbst können sie nicht empfangen. Wir haben keine Antenne für sie. Wir haben für vieles keine Antenne, und es ist trotzdem da.«

»Aber was hat das mit Gott zu tun?« fragt Klaus.

»Denk doch mal darüber nach«, sagt der Vater.

Viele Kinderfragen kreisen auch um den Begriff »Himmel«.

Zunächst stellt sich die Frage, was die Bibel mit dem Begriff meint. Einmal ist damit Himmel als physikalischer Raum, als Teil des Weltalls gemeint: »Am Anfang schuf Gott Himmel und Erde« (1. Mose 1,1) oder »Denn gleichwie der Regen und Schnee vom Himmel fällt...« (Jesaja 55,10). Zum andern hat Himmel aber auch noch eine andere Bedeutung, die keinesfalls räumlich ist: »Seid fröhlich und getrost; es wird euch im Himmel reichlich belohnt werden« (Matthäus 5,12). Die deutsche Sprache ist in diesem Punkt leider ziemlich ungenau. Im Englischen wird zum besseren Verständnis zwischen »sky« = physikalischer Himmel und »heaven« = Gegenwart Gottes unterschieden.

Die folgende Rede Jesu in Matthäus 19 zeigt, daß die Begriffe »Himmel«, »Himmelreich« und »Reich Gottes« das gleiche ausdrücken:

Ein reicher junger Mann kam zu Jesus und fragte ihn, wie er ewiges Leben bekommen könne. Jesus antwortete: »Willst du vollkommen sein, so geh hin, verkaufe, was du hast, und gib's den Armen, so wirst du einen Schatz im *Himmel* haben« (Vers 21).

»Jesus aber sprach zu seinen Jüngern: Wahrlich, ich sage euch: Ein Reicher wird schwer ins *Himmelreich* kommen. Und weiter sage ich euch: Es ist leichter, daß ein Kamel durch ein Nadelöhr gehe, als daß ein Reicher ins *Reich Gottes* komme« (Verse 23 und 24).

Als Jesus den Menschen damals klarmachen wollte, was unter »Himmelreich« zu verstehen ist, erzählte er ihnen einige Gleichnisse dazu. Dietrich Steinwede faßt es folgendermaßen zusammen: »Mit Gottes Reich, das ist wie mit dem Sauerteig (er vermag alles zu durchdringen); das ist wie mit dem Senfkorn (es vermag machtvoll zu wachsen); das ist wie mit dem Unkraut unter dem Weizen (es vermag das Böse auszuhalten). Das ist auch wie mit einem plötzlich gefundenen Schatz im Feld, wie mit einer plötzlich gefundenen wunderschönen Perle (Menschen geben alles dafür her).«[13] (Vgl. auch Matthäus 13.)

In der Bergpredigt (Matthäus 5ff.) erläutert Jesus, welche Maßstäbe für das Himmelreich gelten: Gerechtigkeit, Sanftmut, Barmherzigkeit, Friedfertigkeit, Feindesliebe usw.

Die Pharisäer fragten Jesus einmal: »Wann kommt das Reich Gottes?« Er antwortete ihnen und sprach: »Das Reich Gottes kommt nicht so, daß man's beobachten kann; man wird auch nicht sagen: Siehe, hier ist es! oder: Da ist es! Denn sehet, das Reich Gottes ist inwendig in euch« (Lukas 17,20.21).

»Himmel« oder »Reich Gottes« ist also nicht ein geographischer Ort, sondern Ausdruck für Gottes besondere Nähe. Überall, wo Menschen durch den Glauben an Jesus Christus mit Gott versöhnt sind, nach Gottes Geboten handeln und seine Prinzipien der Liebe ausleben, da ist das Himmelreich.

Da der sündige Mensch niemals vollkommen nach Gottes Willen zu handeln in der Lage ist, kann dieses Himmelreich auf Erden auch nicht vollständig verwirklicht werden. Das Reich Gottes beginnt zwar hier auf der Erde in den Menschen, wird aber erst bei Jesu zweitem Kommen, wenn alle Gläubigen mit Gott zusammenleben, vollendet.

Es ist wichtig, daß auch Kinder von der Vorstellung abkommen (bzw. dieses Denken gar nicht erst entsteht), daß der Himmel, Gottes Wohnung, hoch oben über den Wolken ist, und daß man mit einer Rakete Gott jederzeit finden kann. Ganz abgesehen davon, daß dieser dem ptolemäischen Weltbild* entsprechende Gedanke rein naturwissenschaftlich schon falsch ist, sollten Kinder erfahren, daß Gott nicht weit entfernt wohnt, sondern mitten unter uns, in uns!

»Wohnt Gott im Himmel?« – »Kommen die Menschen in den Himmel, wenn sie tot sind?« – »Haben die Astronauten Gott gesehen?«

Kindgemäße Antworten auf diese Fragen könnten, ähnlich wie in dem Buch »Benjamin sucht den lieben Gott«, etwa so sein:

»Gott wohnt nicht dort oben im Himmel über den Wolken. Deshalb wird man ihn auch nicht finden, wenn man mit einer Rakete oder einem Flugzeug ganz hoch hinauf fliegt. Dadurch kommt man höchstens den anderen Planeten, der Sonne oder dem Mond näher. Gott ist ja nicht ein Mensch wie wir, deshalb braucht er auch keine Wohnung. Aber er ist immer bei uns, ganz nahe, in je-

* Das ptolemäische Weltbild verstand die Erde als eine Scheibe, von Säulen getragen und von einem halbkugelförmigen Himmel überspannt. In diese Vorstellung paßt natürlich auch gut der Gedanke von einem Gott, der »oben« wohnt. Nikolaus Kopernikus (1473–1543) entdeckte, daß die Erde sich täglich um ihre Achse dreht und daß sie zu den Planeten gehört, die sich um die Sonne drehen. Demnach gibt es auch kein oben und unten.

dem Raum. Da brauchen wir auch gar nicht erst ins Weltall zu fliegen, um Gott zu finden.«

»Der Himmel ist da, wo Menschen Gott lieben und so gut zueinander sind, wie Jesus es war, als er auf der Erde lebte.«

»Leider ist es nicht möglich, immer ganz nett zu allen Menschen zu sein. Du weißt ja auch, daß man manchmal viel lieber streitet und überhaupt nicht nachgeben will. Aber wenn wir später einmal ganz bei Gott leben, ist das nicht mehr so. Das wird ein ganz anderes Leben sein: jeder ist freundlich zu den anderen, niemand betrügt mehr jemanden, es gibt nie mehr Krieg, keiner braucht mehr krank oder traurig zu sein und alle Menschen sind glücklich. Wenn sie dann immer bei Gott leben, kann man auch sagen, sie sind im Himmel.«

»Wenn sich jeder darum kümmert, daß es den anderen gut geht, dann ist Gott nahe, dann ist schon jetzt etwas vom Himmel da.«

IV. Kinder fragen nach Leid und Tod

Das Schwerste im Leben ist für den Menschen sicherlich das Umgehen mit den zahlreichen Leidenund Krankheiten, die ihn selbst oder seine Umwelt betreffen, und mit dem Tode.

Zum Teil mag dies daran liegen, daß der Mensch dem Tod gegenüber völlig machtlos ist. Obwohl die Medizin schon viel dazu beigetragen hat, Leid zu lindern und den Tod eine Weile hinauszuschieben – besiegt wird dieser Bereich dadurch nicht.

Der Tod, seine Endgültigkeit, ist für den Menschen eine Tatsache, die er nur schwer akzeptieren kann. Außerdem kommt die Angst dazu, was einen selbst wohl während des Sterbens und danach erwartet. Und dann erst der Tod nahestehender Personen, des Partners, des Kindes, des Freundes oder der Eltern! Man selbst wird zurückgelassen, allein mit seinem Schmerz. Wie soll man in Zukunft mit der Einsamkeit fertigwerden? All diese menschlichen Empfindungen sind da; sie können und dürfen nicht einfach geleugnet werden.

Jeder Mensch wird irgendwann in seinem Leben mit dem Tod konfrontiert. Es nützt deshalb auch nichts, so zu tun, als ginge einen das alles nichts an. Vor dem Hungertod Tausender von Menschen in Äthiopien kann man notfalls die Augen verschließen; den eigenen Tod einfach in weite Ferne schieben – gelöst wird das Problem dadurch nicht.

Kinder kennen sich in der Kunst des Verdrängens noch nicht so gut aus wie Erwachsene. Ihre Fragen sind deshalb direkt und unmißverständlich. Sie wollen wissen, warum man sterben muß; wie das ist, wenn man tot ist; warum Großvater solche Schmerzen hat und nur noch im Bett liegt; warum gerade der geliebte kleine Pudel überfahren wurde.

Große Betroffenheit steckt vor allem hinter solchen Fragen: »Mußt du auch sterben, Mama?« Man spürt dabei die tiefe Angst des Kindes, alleingelassen, von einer geliebten Person getrennt zu werden. Die Antwort muß dann auch dementsprechend tröstlich ausfallen.

Bevor der Erwachsene einigermaßen ehrliche und hilfreiche Antworten für das Kind finden kann, muß er sich wieder einmal selbst mit der Problematik auseinandersetzen, um für sich Klarheit zu finden.

Für manches Leid, das einem selbst oder anderen geschieht, gibt es Ursachen und damit auch Erklärungen.

Viel Unangenehmes fügt sich der Mensch selbst zu. Wer sich betrunken hinter das Steuer setzt, braucht sich über einen schlimmen Unfall nicht zu wundern. Wer ständig über seine Verhältnisse lebt, wird schließlich von seinem Schuldenberg erdrückt. Und wer einen Kopfsprung in ein unbekanntes Gewässer macht, landet vielleicht querschnittsgelähmt im Rollstuhl. Neid, Eifersucht, Habsucht zerfressen die menschlichen Beziehungen und machen krank.

Eine zweite Form des Leids entsteht, wenn ein Mensch dem anderen Böses zufügt. Die Politiker, die ihren Aufgaben nicht gewachsen sind und nur das eine Ziel haben, ihre Macht zu vergrößern, verursachen bei Millionen von Menschen Gewissenskonflikte, wirtschaftliche und soziale Nöte, in schlimmen Kriegen Elend und Tod. Oder da sind die Eltern, die ihr Kind mißhandeln, weil sie ihre eigenen Probleme nicht bewältigen können. Da betrügt einer den anderen und bringt ihn in große finanzielle Schwierigkeiten.

Eine dritte Gruppe schrecklichen Leidens wird durch die Natur verursacht. Durch endlose Hitzeperioden entsteht Hunger, Erdbeben machen viele Menschen obdachlos, in Flutwellen werden Menschen und Tiere ertränkt, der Ausbruch eines Vulkans zerstört die ganze Umgebung.

Bei alledem nimmt das Wissen um die Ursache eines Leides nichts von dessen Schärfe. Trotzdem fühlt sich der Mensch wohler, wenn er eine Erklärung für sein momentanes Unglück findet.

Leider ist aber nicht alles Schlimme, was einem begegnet, in diese drei Kategorien einzuordnen. Niemand findet letztlich eine Erklärung dafür, weshalb der Fünfjährige unter schrecklichen Qualen an einer unheilbaren Krankheit stirbt.

Die große Frage, die sich Erwachsene dann immer wieder stellen, heißt: Warum läßt Gott all dieses Leid zu? Warum beendet er nicht endlich dieses schreckliche Kriegsgemetzel, die Hungerkatastrophen, die unheilbaren Krankheiten usw.?

Zuerst einmal muß klargestellt werden, daß Gott nicht etwa Leid verursacht. Die genannten Beispiele zeigen deutlich, daß der Mensch selbst verantwortlich für sein Leben und das seiner Mitmenschen ist. Und selbst das unerklärbare Leid in der Welt kann unmöglich Gott zugeschrieben werden. Dies wäre unvereinbar mit dem Gott, den die Bibel beschreibt:

> 1. Timotheus 2,4: »Gott will, daß allen Menschen geholfen werde und sie zur Erkenntnis der Wahrheit kommen.«
>
> 5. Mose 32,4: »Treu ist Gott und kein Böses an ihm, gerecht und wahrhaftig ist er.«
>
> 1. Johannes 4,16: »Wir haben erkannt und geglaubt die Liebe, die Gott zu uns hat. Gott ist die Liebe.«

Als Gott am Anfang die Welt schuf, war sie vollkommen, d.h. es gab auch kein Leid (1. Mose 1,31). Die Menschen lebten im Paradies und hatten Gemeinschaft mit Gott.

Dies änderte sich leider eines Tages. Adam und Eva mißachteten Gottes Gebot und übertraten es. Von da an war ihr gutes Verhältnis zu Gott gestört, sie mußten das Paradies verlassen und ihr Leben von nun an unter Mühen weiterführen. Der Ungehorsam Gott gegenüber, ihre Sünde, hatte sie von ihm getrennt (Römer 6,23: »Der Sünde Sold ist der Tod«).

Aber Gott wollte es bei diesem schrecklichen Zustand nicht belassen. Er bot den Menschen eine Lösung an: Jesus Christus wurde selbst Mensch, lebte ein sündloses Leben (»Gott geoffenbart im Fleisch«; 1. Timotheus 3,16), nahm die Sünden der ganzen Menschheit auf sich und starb am Kreuz. Dadurch ist es nun für die Menschen möglich, daß ihnen ihre Sünden vergeben werden und als Folge davon ihre Trennung von Gott aufgehoben wird. Diese frohe Botschaft durchzieht das ganze Neue Testament: »Denn so sehr hat Gott die Welt geliebt, daß er seinen eingeborenen Sohn dahingab, damit alle, die an ihn glauben, nicht verloren werden, sondern das ewige Leben haben« (Johannes 3,16).

Als Gott den Menschen »zu seinem Bilde« schuf, stattete er ihn auch mit der Freiheit aus, eigenständige Entscheidungen zu treffen. Das bedeutet, Adam und Eva hatten die Wahl, sich zu entscheiden, ob sie Gott gehorchen wollten oder nicht. Für alle ihre Nachkommen ist das ähnlich: Zwar besteht nicht mehr die Möglichkeit, ein absolut sündloses Leben zu führen, da jeder Mensch von Geburt an sündig ist (»Das Dichten und Trachten des menschlichen Herzens ist böse von Jugend auf«; 1. Mose 8,21), aber jeder hat die Möglichkeit, nach

Gottes Willen zu leben und sein Geschenk, das ewige Leben, anzunehmen.

Es blieb nicht dabei, daß Jesus am Kreuz starb. Nach kurzer Zeit folgte seinem Tod die Auferstehung. Was das für die Menschheit bedeutet, wird in 1. Korinther 15 dargestellt:

»Nun steht aber fest, daß Christus aus dem Tod auferweckt wurde. Damit hat er einen Anfang gemacht, dem sich alle Toten anschließen werden. Ein Mensch hat den Anfang gemacht mit dem Tod, und wiederum ein einzelner Mensch hat den Anfang gemacht mit der Auferstehung aus dem Tod. Denn nach dem Vorbild Adams sterben alle Menschen, und in dem Durchbruch, den Christus erkämpft hat, finden sie alle den Weg zum Leben. Wie ein riesiges Heer werden sie aus dem Tod in das Leben ziehen: allen voraus Christus, dann die, die zu Christus gehören und die ihm schon verbunden sind, wenn er wiederkommen wird. Dann wird das Ende dasein. Christus wird die Herrschaft über die Welt Gott, dem Vater, übergeben und alle sonstige Macht beenden: die Macht der Menschen, aber auch die Macht aller unsichtbaren Gewalten in der Welt. Er wird seine Herrschaft so lange ausüben, bis alle seine Feinde gebunden sind und er alle Macht besitzt. Der letzte unter den Feinden, die er entmachten wird, ist der Tod« (Verse 20–26, nach Zink).

Gott will, daß den Menschen in ihrer Not geholfen wird. Er will ihnen helfen und Kraft geben, das Schwere zu ertragen. Als Jesus seine Freunde nach der Auferstehung verließ, um wieder bei Gott, dem Vater, zu sein, hatte er viel Leid, Trauer, Schmerzen und Tränen gesehen und an sich selbst erlebt. Deshalb waren seine tröstenden Worte auch so überzeugend: »In der Welt habt ihr Angst; aber seid getrost, ich habe die Welt überwunden« ... »Und siehe, ich bin bei euch alle Tage bis an der Welt Ende« (Johannes 16,33 und Matthäus 28,20).

Um mit Kindern über dieses Thema zu sprechen, gibt es grundsätzlich zwei Möglichkeiten:

1. Man kann Erfahrungen vorbereiten, indem man mit dem Kind über leidvolle Erlebnisse oder den Tod spricht, bevor es eine solche Situation selbst erlebt hat. Dadurch kann es ein Bewußtsein dafür entwickeln, es kann sich in Ruhe damit auseinandersetzen, wenn es noch nicht so stark emotional davon ergriffen ist. (Im folgenden werden dafür praktische Vorschläge gemacht.)

2. Man reagiert erst auf die Fragen des Kindes, wenn sie von ihm ausgehen. Der Vorteil dabei ist, daß man sicher sein kann, daß beim Kind Interesse vorhanden ist. Dabei sollte man genau darauf achten, was das Kind wirklich fragt. Wie bei der sexuellen Aufklärung neigt man als Erwachsener ja dazu, ausführlicher zu antworten, als es das Kind eigentlich erwartet. Wenn es zum Beispiel fragt, warum der Wellensittich gestorben ist, wäre es wahrscheinlich übertrieben, die ganze Thematik des Sündenfalls aufzurollen. Kinder hören sowieso nicht mehr hin, wenn ihre eigentliche Frage beantwortet und ihr Interesse gestillt ist.

Der Erzieher muß demnach mit Feingefühl herausfinden, was die richtige Antwort in der jeweiligen Lage ist. Diese beiden Ansätze sollen nicht gegeneinander aufgewogen werden. Was für das eine Kind gut ist, kann dem anderen schaden. Eltern müssen für jedes Kind eine eigene Entscheidung treffen. Teilweise ist es auch unausweichlich, beide Ansätze je nach Situation anzuwenden.

Christliche Erziehung muß darauf hinarbeiten, daß das Kind sich in den anderen einfühlen erlernt. Ohne das verantwortliche Gefühl für den Nächsten wird sonst niemals Hilfe geleistet werden. So müssen Kinder auch durch die Anregung ihrer Eltern von der Not und dem Leid anderer erfahren. Vom eigenen Durchstehen von Not und Leid der Eltern lernt das Kind allerdings am meisten (vgl. Kapitel I).

Wenn man das Kind auf Leid und Tod vorbereiten will, ist es sinnvoll, auf Geschichten zurückzugreifen. Jedes Kind hört gern Geschichten und kann sich hervorragend mit den Personen der Handlung identifizieren. Es ist wichtig, daß diese Geschichten erzählt, bzw. vorgelesen werden. Keineswegs darf man ihnen ein (Kinder-)Buch über den Tod zum Selberlesen geben. Das Kind könnte auf Stellen stoßen, die ihm unverständlich sind und große Angst hervorrufen. Dem kann natürlich vorgebeugt werden, wenn der Erwachsene vorliest und die Dinge, die dem Kind Schwierigkeiten bereiten, mit ihm gemeinsam aufarbeitet.

Zu Beginn kann der Tod an ganz einfachen Dingen festgestellt werden: Die Tulpe verwelkt (muß sterben), die Blätter fallen vom Baum, manche Fliegen leben nur einen Tag. Der Kreislauf des Jahres eignet sich gut zu solchen Betrachtungen. Im Frühling erwacht alles zu neuem Leben, im Herbst sieht man viel verdorrtes Laub, verfaulte Pflanzen.

In Erzählungen über Kinder, deren Hund überfahren wird, deren Oma stirbt oder deren Brüderchen behindert zur Welt kommt, können Kinder lernen, sich in diese Erfahrungen hineinzudenken und -zufühlen.

Manche Eltern erfinden sicher selbst die schönsten Geschichten für ihr Kind. Sollte man Bücher wie das mit vielen Fotos ausgestattete Buch von Becker/Niggemeyer, »Ich will etwas vom Tod wissen« (Otto Maier Verlag Ravensburg, 1979) oder die »Vorlesebücher Religion 1–3«[14] benützen, müßte der Hinweis auf die Auferstehung und das Leben nach dem Tod ergänzt werden, was für das Gespräch christlicher Eltern mit ihren Kindern bei diesem Thema ja unabdingbar ist.

Konkrete Fragen des Kindes entstehen oft, wenn es ein beeindruckendes Erlebnis hatte. Das kann der Tod der alten Nachbarin sein, die Entsetzen auslösenden Bilder verhungernder Menschen, das offensichtlich behinderte Kind in der Straßenbahn.

Im folgenden werden Antwortvorschläge für die Fragen des Kindes formuliert:

»Müssen alle Menschen sterben, Mama? Auch du und Papa?«

»Alle Menschen müssen sterben. Manche sterben, wenn sie alt sind und keine Kraft mehr zum Leben haben. Aber manchmal sterben Menschen auch schon, wenn sie noch jung sind, zum Beispiel durch einen Verkehrsunfall oder eine unheilbare Krankheit. Ab und zu kommt es auch vor, daß schon ganz kleine Kinder sterben. Auch Papa und ich, wir werden eines Tages sterben. Aber wir wollen hoffen, daß das noch lange nicht passiert und wir alle zusammenbleiben können.«

Ergänzung für ältere Kinder: »Vor langer Zeit lebte Jesus Christus, Gottes Sohn, auf der Erde. Als er tot war, wurde er in ein Grab gelegt. Aber er war nicht für immer tot. Mit Jesus geschah etwas ganz besonderes. Nach kurzer Zeit lebte er nämlich wieder. Gott hatte ihn auferweckt. Genauso soll es später auch mit uns Menschen geschehen. Zu einem bestimmten Zeitpunkt werden alle nach ihrem Tod wieder auferstehen. Dann können die Menschen immer mit Gott zusammen leben, wenn sie das wirklich wollen. Deshalb ist es auch nicht ganz so traurig, wenn man stirbt. Bald kann man ja wieder leben, bei Gott.«

Es ist nicht empfehlenswert, mit Kleinkindern über den Sündenfall zu sprechen, der in 1. Mose 3 dargestellt wird. Wie sollte man dies in eine Erzählung für Kinder kleiden, ohne den moralischen Zeigefinger zu erheben: »Wenn man nicht gehorsam ist, dann . . .!« Außerdem wird das Kind, dem ja selbst viele Verbote auferlegt sind, sich natürlich bestens mit Adam und Eva identifizieren können und die Strafe, die Gott ihnen auferlegt hat, als zu drastisch empfinden. Leicht entsteht so im Kind die Vorstellung eines strafenden Gottes, der kein Verständnis für die Schwächen des Menschen hat, der keinerlei Mitleid empfindet.

Es empfiehlt sich deshalb, über den Sündenfall erst mit wesentlich älteren Kindern zu sprechen, die dann auch in der Lage sind, größere Zusammenhänge zu verstehen und zu verarbeiten. Der Erwachsene weiß natürlich, daß Gott auch den gefallenen Menschen nicht ohne Hoffnung, nicht ohne Gnade läßt, ja, daß er ihn in seinem Elend nicht allein läßt. Schließlich war er es ja, der die trennende Mauer der Sünde zwischen sich selbst und den Menschen durchbrach und ihnen eine großartige Hilfe anbot. Für das kleine Kind genügt es zunächst, wenn es weiß, daß Gott seinen Sohn schickte, um die Menschen von Sünde und Tod (die nun einmal da sind!) zu befreien.

»Wie ist das eigentlich, wenn man tot ist?«

In diesem Zusammenhang ist es ganz wichtig, Kindern gegenüber nicht von dem Tod als Schlaf zu sprechen. Die Bibel bezeichnet den Tod zwar zuweilen als schlafähnlichen Zustand, und dieser Gedanke mag von Erwachsenen ja auch richtig verstanden werden.

Bei Kindern ruft er eher Angstzustände hervor, weil sie befürchten, während des Schlafens in der Nacht zu sterben. Bei sensiblen Kindern entstehen mitunter sogar Schlafstörungen, weil sie sich weigern einzuschlafen – aus Angst, daß dabei der Tod eintritt. Man sollte also lieber bei einigen Beschreibungen bleiben.

Antwortvorschlag: »So ganz genau weiß das niemand, denn jemand, der tot ist, kann es uns ja nicht mehr erzählen. Trotzdem wissen wir aus der Bibel manches über den Tod. Wenn ein Mensch tot ist, ist überhaupt kein Leben mehr in ihm drin. Er kann sich nicht mehr bewegen, nicht mehr hören und nicht mehr riechen. Er atmet auch nicht mehr. Der tote Mensch merkt von allem, was um ihn herum ist, gar nichts mehr. Deshalb weiß er zum Beispiel auch nicht, daß er in einem Grab unter der Erde liegt. Davor braucht man also überhaupt keine Angst zu haben.«

»Was geschieht mit den Menschen, wenn sie tot sind? Kommen sie dann in den Himmel?«

»Wenn ein Mensch tot ist, wird er beerdigt. Dafür sind ja die Friedhöfe da. Damit ist aber nicht alles zu Ende. Hör dir mal diese Geschichte an:

Nachdem Jesus eine Zeitlang auf der Erde gelebt hatte, ging er wieder zu Gott, seinem Vater zurück. Das machte die Menschen damals sehr traurig. Sie hatten sich so daran gewöhnt, mit Jesus zusammenzusein. Das gefiel ihnen nämlich gut. Aber Jesus tröstete sie (vgl. Johannes 14): ›Seid doch nicht so traurig! Ich verlasse euch jetzt, um zu meinem Vater zu gehen. Aber es dauert nicht mehr lange, dann komme ich zu euch zurück. Dann werden wir für immer zusammenbleiben und nichts kann uns mehr trennen.‹

Stell dir vor, allen Menschen, die schon hier mit Gott lebten, wird dieser Wunsch erfüllt. Das wird ein herrliches Leben! Dann wird niemand mehr traurig sein, es gibt keine Krankheiten mehr und keine Schmerzen. Die Toten, die in den Gräbern liegen, werden dann alle wieder lebendig, wie Jesus damals nach seinem Tod. Deshalb ist der Tod auch nicht das Ende von allem, sondern ein neuer Anfang.«

(Zum Begriff »Himmel« vergleiche Kapitel III.)

»Wie kann jemand wieder lebendig werden, wenn er in einem Haus verbrannt ist, oder im Urwald von einem wilden Tier aufgefressen wurde?«

»Wenn die Toten wieder lebendig werden, haben sie nicht mehr so einen Körper wie vorher. Gott schenkt ihnen einen ganz neuen.

Wir wissen jetzt noch nicht, wie dieser neue Körper sein wird. Das ist ein Geheimnis, das wir erst nach dem Tod erfahren.

Unser Körper ist ja eigentlich nur ein Haus. (In 2. Petrus 1,14.15 heißt es:) ›Ich weiß, daß ich meine Hütte bald verlassen muß, wie es mir auch unser Herr Jesus Christus eröffnet hat. Ich will mich aber bemühen, daß ihr dies allezeit auch nach meinem Hinscheiden im Gedächtnis behalten könnt.‹ In dieser ›Hütte‹ wohnt unser wirkliches Ich. Das ist der Teil von uns, der denken und sprechen kann. Wenn man zum Beispiel jemandem ein Geschenk gibt, dann macht das das Ich des Menschen und nicht nur die Hand, die das Päckchen hält. Wenn man lacht oder traurig ist, dann ist das auch das Ich des Menschen.[15]

Stell dir vor, jemand ist gelähmt. Von Kopf bis Fuß kann er sich nicht mehr bewegen, weil der Körper, sein ›Haus‹, krank ist. Aber man kann sich trotzdem mit ihm unterhalten. Er kann lachen, sprechen, denken, traurig und lustig sein. Sein Ich ist gesund, es wohnt nur in einem kranken Haus.

Wenn wir nach unserem Tod ganz bei Gott leben, hat unser Ich ein ganz anderes Haus. Der Körper wird dann nicht mehr gebraucht.«

»Warum geht es manchen Menschen, z.B. in Indien, so schlecht? Warum hilft Gott ihnen nicht?«

»Gott möchte, daß es allen Menschen gut geht, daß alle genug zu essen und etwas anzuziehen haben. Und er möchte auch, daß sie glücklich sind. Deshalb hat er auch bestimmt, daß sich jeder um seinen Nächsten kümmert und ihm hilft. Aber manchen Menschen ist es egal, was Gott will. Sie denken nur an sich selbst. Sie kümmern sich nicht darum, ob in Afrika Leute vor Hunger sterben.

Eigentlich ist die Erde so geschaffen, daß für alle Platz und Nahrung da ist. Die Menschen müßten nur besser untereinander teilen. Sie müßten sich auch gegenseitig mitteilen, wie man z.B. Brunnen bohrt oder Sonnenenergie gewinnt. Sie sollen einander helfen, das will Gott.«

»Warum ist das Baby von den Nachbarn gestorben? Jetzt sind sie ganz traurig.«

Auf die Frage nach dem für den menschlichen Verstand nicht begreifbarem Leid ist letztlich nur eine persönliche Antwort, die im Glauben an Gottes nie endende Liebe gegeben wird, möglich.

»Das ist wirklich schrecklich traurig! Ich wünschte auch, es würde noch leben. Ich weiß nicht, warum es gestorben ist. Manchmal geschehen sehr traurige Dinge, und niemand kann erklären, warum. Aber ich bin sicher, daß Gott den Menschen in solch schlimmen Situationen beisteht und hilft, daß sie wieder fröhlich werden.«

»Gott kann doch alles. Warum hilft er nicht den Menschen, die in Not sind?«

»Gott möchte allen Menschen helfen. Aber er will nicht einfach über sie bestimmen. Schließlich haben die Menschen einen freien Willen bekommen.

Wenn jemand zum Beispiel viel zu schnell mit dem Auto fährt und dann einen Unfall hat, ist das doch seine eigene Schuld. Oder wenn man sich nicht die Zähne putzt, werden sie bald kaputt sein und man bekommt Zahnschmerzen. Das hat man dann aber vorher gewußt, und man hat sich dafür entschieden. In viele unangenehme Lagen bringen sich die Menschen selber, sonst ginge es ihnen besser.«

Den meisten Beistand braucht ein Kind, wenn jemand gestorben ist, der ihm nahestand: ein Elternteil, einer der Großeltern, eins von den Geschwistern.

Es ist wichtig, daß das Kind teilnimmt an der Trauer in der Familie und daß man es dadurch auch seinen eigenen Schmerz ausleben läßt. Es ist nicht gut, ein Kind von all den Dingen, die sich nach einem Todesfall ereignen, abzuschirmen. Kinder haben extrem feine Antennen für Stimmungen und Gefühle anderer und für die Atmosphäre, die in ihrer Umgebung herrscht. Es würde sie sehr verunsichern, die Unruhe in der Familie wahrzunehmen und den Grund dafür nicht zu kennen.

Am besten kann der Schmerz verarbeitet werden, wenn sich Kinder gedanklich mit dem Verstorbenen beschäftigen. Sie können von gemeinsam Erlebten erzählen und Bilder über ihre Gefühle malen (z.B. mit Fingerfarben, die ein großflächiges und ausdrucksstarkes Malen ermöglichen).

V. Mit Kindern religiöse Feste feiern

1. Nikolaus

Die Nikolausfeier ist ein fester, nicht wegzudenkender Brauch in der Weihnachtszeit, auf die kein Kind verzichten möchte. Leider ist jedoch die heutige Form dieser Feier im Sinne religiöser Erziehung nicht unbedenklich. Nikolaus wird als eine Figur dargestellt, die genau weiß, ob ein Kind »gut« oder »böse« war. Schon einige Zeit, bevor der Nikolaustag da ist, wird den Kindern damit gedroht, daß sie bei Ungehorsam nur eine Rute, nicht aber einen mit Süßigkeiten gefüllten Stiefel vorfinden werden. Tatsächlich jedoch ist der Stiefel dann meistens gefüllt. Das Kind erfährt dabei gleich, daß solche Drohungen der Eltern nicht ernstgenommen zu werden brauchen – ein schlechter erzieherischer Effekt! Viel schlimmer aber ist es, daß möglicherweise die Entwicklung einer positiven Gottesvorstellung durch eine gefürchtete Nikolausgestalt negativ beeinflußt wird, wenn sie strengstens Gehorsam fordert, belohnt und bestraft. Zu leicht passiert es nämlich, daß Kinder die Vorstellung, die sie vom Nikolaus haben, auf Gott übertragen.

Aber selbst wenn Eltern aus verständlichen Gründen die Nikolausfeier am 6. Dezember am liebsten umgehen würden, so werden Kinder doch im Kindergarten, in der Schule, in den Geschäften und bei ihren Freunden damit konfrontiert. Da ist es schon besser, ein gutes Gegengewicht zu setzen, und aus dieser Feier einen sinnvollen Brauch werden zu lassen.

Historisch gesehen war Bischof Nikolaus, der um 300 n.Chr. in Myra, in der heutigen Türkei, lebte, weithin bekannt für seinen Einsatz gegenüber Notleidenden und Armen. Viele Legenden sind darüber im Laufe des Nikolausbrauchtums entstanden, aber Genaues ist nicht überliefert.

Mit diesen Informationen ist es nun möglich, der Nikolausfeier einen anderen Schwerpunkt zu geben. Es ist durchaus sinnvoll, eines solchen Menschen zu gedenken und praktische Möglichkeiten der eigenen Nachahmung zu finden.

Man kann mit den Kindern überlegen, wer vielleicht in Not ist (einsam, krank, Außenseiter usw.), und wie man da helfen könnte. Bei einer einfach organisierten Nikolausfeier mit Kakao und Lebkuchen ergibt sich vielleicht die Gelegenheit, einmal die Nachbarn näher kennenzulernen. Oder man kann zusammen Kekse bakken und verschenken.

Natürlich ist es eine herrliche Sache, am Nikolausmorgen einen mit den herrlichsten Dingen gefüllten Stiefel vor der Tür zu finden. Ein schöner Brauch, denn er macht Freude, und besonders Kinder lieben solche Feste sehr.

2. Weihnachten

Weihnachten ist das umstrittenste Fest im Jahr. Manche Erwachsene lehnen es ganz und gar ab, weil ihnen der Trubel, das Weihnachtsgeschäft und die künstlich erzeugten Gefühle einfach zuviel sind. Als Eltern sind sie jedoch im Zwiespalt: Einerseits fürchten sie den aufreibenden Geschenkrummel, der mit hohen Geldausgaben verbunden ist, andererseits genießen sie es auch, einmal mit der ganzen Familie bei Kerzenschein und gutem Essen zusammensein zu können. Die Kinder schließlich sind sich alle einig: Weihnachten ist ein herrliches Fest!

Eins ist ganz klar: Weihnachten kann nicht einfach ignoriert werden! Jedes Schaufenster ist geschmückt mit Kerzen, Sternen, Weihnachtsmännern und Lametta. In den Lebensmittelgeschäften türmen sich schon ab Oktober Marzipanbrote und Lebkuchenherzen. Im Kindergarten und in der Schule werden eifrig Geschenke und Weihnachtssterne gebastelt. Die Nachbarskinder backen Plätzchen und schreiben Wunschzettel. Es wäre für Kinder völlig unverständlich, wenn man ihnen diese herrlichen Dinge alle vorenthalten würde.

Deshalb stellen sich für die Eltern folgende Fragen:

- Warum feiert man Weihnachten eigentlich?
- Hat es heute noch seinen ursprünglichen, christlichen Sinn?
- Wie kann man dieses Familienfest sinnvoll und ohne drückenden Konsumzwang gestalten?

Der Ursprung des Weihnachtsfestes liegt im Jahre 275 n.Chr., als der römische Kaiser Aurelius das Wintersonnenwendfest zum Reichsfeiertag erklärte. Die Christen wollten ein solches Fest zu Ehren des Sonnengottes nicht gelten lassen und setzten dem die Feier der Geburt Jesu Christi entgegen. Allerdings haben sich dann im Laufe der Zeit die Gedanken von der Geburt und dem Kommen Jesu so mit den heidnischen Bräuchen vermischt, daß sie jetzt kaum noch auseinanderzuhalten sind. Weihnachtsmann, Geschenke usw. spielen nun eine übergroße Rolle.

Die ärmliche Geburt des unbekannten Kindes in Bethlehem war für die Historiker damals so unbedeutend, daß das genaue Datum nicht überliefert wurde. Aber das ist ja auch nicht allzu wesentlich. Wichtig ist, daß überhaupt der Menschwerdung Jesu gedacht wird.

Diesen Inhalt sollte man beim Feiern des Familienfestes nicht vernachlässigen, sondern vielmehr in den Mittelpunkt rücken.

Wie der Sinn des Weihnachtsfestes, also die Freude an der Geburt Jesu, inzwischen verdrängt worden ist, zeigt anschaulich die folgende Karikatur.

aus: Hans Stapperfenne (Hg.), Alles in schönster Ordnung, Jugenddienst-Verlag, Wuppertal 1975[2]

Die Geburt Jesu als Inhalt des Weihnachtsfestes wieder in den Vordergrund zu stellen, ist deshalb ein wichtiges Ziel religiöser Erziehung.

Die Weihnachtszeit zieht sich über mehrere Wochen hin, und so bleibt genügend Zeit, sich ausführlich mit dieser Thematik zu befassen.
Im folgenden werden Vorschläge gemacht, wie Kinder

schrittweise zu der Erkenntnis geführt werden: Wir können uns freuen, denn Christus, der Retter der Welt, ist geboren!

a) Das Leid in der Welt.
b) Gott will bei uns sein und uns helfen.
c) Was können *wir* für unsere Nächsten tun?
d) Christus, der Retter der Welt, ist geboren.

a) Das Leid in der Welt

Kinder erfassen viele Dinge mit ihren Sinnen. Deshalb verstehen sie auch gut, daß das Bild vom Dunkel in der Welt gut in die kalte Jahreszeit paßt, in der es morgens spät hell wird und man abends früh die Kerzen anzünden kann.

Für ganz kleine Kinder genügt schon die Erfahrung: Es ist kalt und dunkel, draußen toben die Herbststürme – ich fühle mich nicht wohl, ich habe Angst! Aber dann werden Kerzen angezündet, die Eltern und Geschwister sind ja da, jetzt ist es ganz gemütlich!

Mit Kindern ab drei Jahren kann man ausführlicher über das Leid und Dunkel in der Welt sprechen. Zuerst können Erfahrungen des Kindes gesammelt werden, die ihm Angst gemacht haben: Die Eltern hatten sich verspätet und das Kind war allein zu Hause. – Es hat die Eltern plötzlich im Kaufhaus aus den Augen verloren. Aber auch über diese persönlichen Erfahrungen hinaus können Kinder das Leid und Dunkel in ihrer Umgebung schon teilweise erkennen. Eine Möglichkeit wäre auch, ab und zu einen Zeitungsartikel zur Thematik zusammen anzuschauen und zu lesen: ein Verkehrsunfall, ein Raubüberfall, hungernde Menschen in der Dritten Welt und bei uns bergeweise Weihnachtsgebäck.

Natürlich können sich Kinder nicht tagelang mit Schreckensnachrichten und deprimierenden Erzählungen beschäftigen. Es soll aber erreicht werden, daß sie über ihren engen Horizont hinauszuschauen lernen, und auf der Grundlage ihrer eigenen traurigen Erfahrungen ein Bewußtsein für das Leid in der Welt entwickeln.

b) Gott will bei uns sein und uns helfen

Die Kinder werden von selbst darauf kommen: Das Leid, das Dunkel in der Welt, erfordert eine Antwort. Gibt es etwas, das die Welt wieder hell macht? Etwas, wodurch die Menschen wieder froh werden?

Um die Kinder darauf eine Antwort finden zu lassen, ist es sinnvoll, einiges aus dem Leben Jesu zu erzählen: Wie er Kranke geheilt, Traurige wieder fröhlich und Blinde wieder sehend gemacht hat. Die Geschichte vom blinden Bartimäus (Markus 10) eignet sich besonders dafür, weil den Kindern klar wird, wie aus dem Dunkel Licht wird, wie aus dem traurigen, blinden Mann durch Jesu Hilfe ein fröhlicher Mensch wird.

Einige Vorschläge zur Erarbeitung: Zuerst müssen sich Kinder einmal (annähernd!) vorstellen können, wie es ist, wenn man überhaupt nichts sehen kann. Spielerisch (mit verbundenen Augen) erproben sie verschiedene Situationen, in denen alltägliche Dinge ohne Hilfe der Augen erledigt werden: essen, sich in der Wohnung zurechtfinden, spielen und aufräumen. Man kann mit den Kindern auch über Situationen nachdenken, die für Blinde schwer zu meistern sind, z.B. das Einkaufen oder Kochen. Manches ist sogar überhaupt nicht möglich: Fahrrad fahren, fernsehen, Bilderbücher anschauen.

Natürlich sollen diese Überlegungen nicht dazu führen, im Kind nur Mitleid für den »armen« Blinden zu wecken – dies wäre eher hinderlich für das angestrebte Miteinander von Behinderten und Nichtbehinderten in unserer Gesellschaft. Das Kind soll erfahren, daß Blindsein ein zu meisterndes Schicksal ist. Es gibt z.B. die Blindenschrift, an der man Kindern sehr gut veranschaulichen kann, wie Blinde sich zu helfen lernen.

Das Ziel ist, daß in den Kindern ein Mitgefühl für die Situation des blinden Bartimäus geweckt wird, damit sie dann überhaupt verstehen können, welche enorme Veränderung Jesus in seinem Leben bewirkt hat, und wie froh Bartimäus plötzlich gewesen sein muß.

Erst nachdem die Kinder das Blindsein nachfühlen können, wird die Geschichte erzählt. Dann beginnt das Verarbeiten des Gehörten durch Rollenspiel, Malen, Nacherzählen, Kneten, Basteln usw. Außerordentlich wertvolle und vielseitige Gestaltungsmöglichkeiten und ein Erzählvorschlag für diese Begebenheit befinden sich in dem Buch von Inge Singer: »Gott im Alltag des Kindergartens«[16].

Diese biblische Begebenheit zeigt, daß Jesus auch und besonders für Kranke und Schwache da war, daß er sie geheilt und ihnen von Gottes Liebe zu den Menschen erzählt hat.

Im Verlauf der Adventswoche soll dem Kind also klar werden, daß es nicht allein ist, sondern daß es außer den Menschen, von denen es geliebt wird, auch noch Gott gibt, der für sein Wohlergehen sorgt, der es nicht schutzlos und allein läßt, es vor Gefahren bewahrt und ihm hilft. Jesus hat dies in seinem Leben anschaulich gemacht.

c) Was können wir für unsere Nächsten tun?

Christsein besteht nicht nur im Nehmen, sondern auch im Geben. Dies Kindern nahezubringen, ist eine Aufgabe, die nicht zu leicht genommen werden sollte. Schließlich darf ihnen nicht etwas aufgezwungen werden, was sie nicht aus eigenem Antrieb tun oder geben wollen.

Es kennzeichnet unsere Gesellschaft, daß wir unseren Wohlstand nur uns selbst oder bestenfalls unserer Familie zugute kommen lassen. Möglichkeiten, mit geringem Aufwand auch anderen Hilfe zu leisten, gibt es jedoch genug. So kann man sich z.B. vor Weihnachten vom Sozialamt einige Adressen von Familien geben lassen, denen es wirklich schlecht geht und die ihren Kindern keine Geschenke kaufen können. Dann kann man gemeinsam mit dem Kind überlegen, ob es nicht einige seiner Spielsachen verschenken könnte, um einem anderen Kind eine große Freude zu machen. Übrigens ist es nicht einzusehen, daß das Kind nun unbedingt etwas von seinem Lieblingsspielzeug opfern muß. Auch ein Auto oder Stofftier, das aus verborgenen Gründen nicht besonders geliebt wird, kann bei einem anderen Kind große Freude auslösen.

Vielleicht kann man gerade in dieser Zeit damit anfangen, sich nach Leuten in der Umgebung umzusehen, die ein bißchen Zuwendung oder einfach ein wenig Abwechslung in ihrem Alltag brauchen.

Gibt es vielleicht in der Nachbarschaft ein »Schlüsselkind«, das man ab und zu nachmittags zum Spielen einladen könnte? Oder könnte man auf dem Weg zum Spielplatz nicht einmal eine Viertelstunde bei der betagten Nachbarin vorbeischauen?

Sicherlich erfordert es Überlegung und Engagement,

anderen zu helfen. Es gibt dafür leider keine Pauschallösungen.

Wichtig bei alledem allerdings ist auch die Fortführung solcher Bemühungen, die mit der Zeit nicht nur den Kindern, sondern der ganzen Familie sauer werden können. Es wäre eine Verkehrung christlicher Liebe, wenn wir den Empfänger unserer weihnachtlichen Liebeszuwendung zum Erfüllungsgehilfen unserer frommen Pflichten und damit zum Almosenempfänger für eine Saison machten.

Aber das Geben von Zeit, Zuneigung, Mitgefühl und auch Geld, das also nicht nur auf die Weihnachtszeit beschränkt sein sollte, kann auch schon ein Kind erlernen.

Man darf dabei allerdings nicht außer acht lassen, daß das kleine Kind entwicklungspsychologisch gesehen auf sich selbst bezogen ist. Es ist nur schwer in der Lage, seine eigenen Bedürfnisse zugunsten anderer zurückzustellen. Man sollte das zwei- bis dreijährige Kind in dieser Hinsicht auf keinen Fall überfordern. Erst im Alter von vier bis acht Jahren verliert das Kind mehr und mehr diese (für seine Entwicklung notwendige und wichtige) Egozentrik, und eine aktive Kontaktaufnahme und Hinwendung zur Gemeinschaft findet statt.

In dieser Zeit kann das Kind vom Erzieher unterstützt werden, die Bedürfnisse anderer zu erkennen und ihnen zu helfen.

d) Christus, der Retter der Welt, ist geboren

In der vierten Woche steht die Geburt Jesu ganz im Mittelpunkt der Thematik.

Aus dem Dunkel (Leid, Angst) hat sich allmählich das Helle entwickelt, das nun in Jesu Geburt als strahlendes Licht gipfelt. Symbolisch kann man diese Entwicklung zusammen mit den Kindern durch Sternebasteln und Kerzenanzünden gestalten.

Es wurde schon betont, daß Kinder Sachverhalte am besten durch Veranschaulichungen verstehen. Es ist für ein Kind wunderbar, die Szene der Geburt Jesu ganz plastisch vor Augen zu haben, wenn es von dieser Begebenheit hört. Außerdem ist dies auch mit geringem Arbeitsaufwand schnell selbst hergestellt: Der Stall wird aus einem Pappkarton oder Sperrholz zurechtgeschnitten, angemalt und mit Stroh (zerknickten Strohhalmen) ausgelegt. Die Krippe entsteht aus zwei stabilen Papplättchen, die in der Mitte eingeschnitten und an diesen Schnittkanten ineinandergesteckt werden. Aus einer speziellen Knetmasse, die im Ofen gehärtet werden kann, formen die Kinder die Figuren und Tiere. Zum Schluß werden alle bemalt und die Figuren erhalten Kleider aus Stoffresten.

Es ist wichtig, daß die Kinder beim Basteln selbst beteiligt sind. Die meisten Dinge, so auch alle Spielsachen, bekommen sie in aller Perfektion vorgesetzt. So wird es ihnen besonders viel Spaß machen, in Gemeinschaftsarbeit mit den Geschwistern und Eltern etwas selbst entstehen zu lassen.

Wenn man sich intensiv mit der Geburt Jesu beschäftigt, liegt eine große Gefahr darin, daß dieses Geschehen im Gesamtzusammenhang, in dem es eigentlich steht, überbewertet wird. Es ist deshalb besonders wichtig, den Kindern gegenüber zu betonen, daß dieses »Christkind« ja Jesus Christus, der König und Retter der Welt, ist. Es darf nicht beim Betrachten des niedlichen kleinen Babys in der Krippe bleiben. Dieses Thema wird fortgeführt mit Erzählungen aus dem Leben Jesu und dem Ostergeschehen.

Man muß nicht auf all die schönen und beliebten Weihnachtsbräuche verzichten, um ein religiös akzentuiertes Weihnachtsfest feiern zu können. Schließlich soll es doch ein Fest werden, an das sich alle noch lange gerne erinnern, und das nicht nur der üppigen Geschenke wegen.

Kinder erleben Weihnachten am besten mit all ihren Sinnen: Da gibt es die flackernden Kerzen, den Duft von Zimtsternen und Bratäpfeln, die Pyramide, auf der sich kleine Männchen durch die Wärme der Kerzen drehen. Für viele gehört auch ein Weihnachtsbaum dazu, glitzernde Kugeln, Tannenzweige, die gut duften und ein bißchen pieken, Weihnachtsmusik und das selbstgebackene Knusperhäuschen zum Naschen . . .

Eltern sollten den Mut haben, wenig zu schenken! Sie geben ihren Kindern dadurch die Chance, daß das allgemein so übliche materialistische Denken nicht vorprogrammiert wird, sondern idealistische Werte einen höheren Rang einnehmen. Die Kinder vergessen die Geschenke, die Festfreude vergessen sie nie.

Natürlich wirft eine solche Einstellung zum Schenken Probleme auf. Wer einmal beobachtet hat, wie sich Schulkinder nach den Weihnachtsferien mit ihren Geschenken gegenseitig übertrumpfen, wird erahnen, welche Schwierigkeiten ein Kind durchzustehen hat, wenn es dabei nicht mithalten kann.

Aber was man einmal als gut und richtig erkannt hat, sollte man auch durchzusetzen versuchen. Das bedeutet ja nicht, daß man sein Kind nun darben lassen soll. Natürlich gehören auch das Wünschen und die Freude über das neue Spielzeug zum Weihnachtsfest.

Trotzdem sollte man auch schon dem kleinen Kind klarmachen, daß Maßlosigkeit unchristlich ist, alleine schon im Hinblick auf die vielen Menschen, denen es wirklich schlecht geht. Man sollte Kinder wirklich nicht unterschätzen. Es ist immer wieder erstaunlich, wie vernünftig man auch schon mit kleinen Kindern eine Sache besprechen kann.

Als Christ fällt man im Alltag eben auch auf. Auch das müssen Kinder Schritt für Schritt lernen. So kann es z.B. auch einmal passieren, daß christlich erzogene Kinder wegen ihrer Versöhnlichkeit als Schwächlinge bezeichnet werden. Am besten wird ein Kind diese Vorfälle verkraften, wenn es ein starkes Selbstbewußtsein hat, das durch die liebevolle Zuwendung und Bestätigung der Eltern entsteht.

3. Ostern

Der Ursprung des heutigen Ostern liegt im jüdischen Passahfest, einer Gedächtnisfeier des Auszugs aus Ägypten. Vor seinem Tod feierte Jesus mit seinen Jüngern am Passahfest das Abendmahl. Heute feiern die Christen anstelle des Passahfestes die Auferstehung Jesu, das Osterfest.

Theologisch gesehen ist nicht die Geburt Jesu, die Weihnachten gefeiert wird, das wichtigste religiöse Ereignis, sondern die Auferstehung Jesu von den Toten, die Osterfeier.

Daß Weihnachten gegenüber Ostern so in den Vordergrund gerückt ist, mag unter anderem auch den Grund haben, daß eine Geburt ein schönes Ereignis ist, das sogar schon kleinen Kindern zugänglich ist, da es ja auch in ihrem Erfahrungsbereich liegt (das Geschwisterchen, das Baby der Nachbarn usw.).

Mit Ostern ist es auf den ersten Blick anders. Da ist von Verrat die Rede, von Schmerzen, Blut und Leiden.

Und von Tod! Wer befaßt sich schon gerne freiwillig mit dem Sterben? Der Tod ist eine schreckliche Sache, an die man nicht denken mag, mit der man nichts zu tun haben will.

Mit Jesu Tod ist es anders! Zwar hat Jesus einen schrecklichen Tod erlitten, doch damit war nicht alles zu Ende. Jesus wurde nach Gottes Plan in die Welt geschickt, um die Menschen von Sünde, Leid und Schmerzen zu befreien: »Also hat Gott die Welt geliebt, daß er seinen eingeborenen Sohn gab, damit alle, die an ihn glauben, nicht verloren werden, sondern das ewige Leben haben« (Johannes 3,16). Das war nur möglich durch seinen Tod, »denn der Sünde Sold ist der Tod« (Römer 6,23).

Nach drei Tagen wurde Jesus von den Toten auferweckt. Genauso soll es allen Menschen ergehen: Sie müssen zwar sterben, werden aber wie Jesus auferstehen: »Sind wir aber mit Christus gestorben, so glauben wir, daß wir auch mit ihm leben werden« (Römer 6,8). (Vgl. auch Kapitel IV.)

Wenn man mit Kindern über Ostern redet, sollte die Auferstehung als freudiges Ereignis in den Vordergrund treten.

Keinesfalls darf der Tod Jesu in all seiner Schrecklichkeit »breitgewalzt« werden. Sicher, das Kind soll wissen, daß Jesus sterben mußte, aber es ist völlig unnötig, all die Einzelheiten der Geißelung, des Spottes, alle Grausamkeiten genau zu schildern. Für Kinder wäre dies kaum zu verkraften. Ebenso wie der Satz: »Jesus ist für deine Sünden gestorben«, nicht unbedingt glaubensstärkend für das Kind ist, sondern eher schlimme Schuldgefühle weckt, denen das Dreijährige – auch das Fünfjährige noch nicht gewachsen ist. Es ist schon schlimm genug, daß dieser Jesus, den die Kinder ja als den besten aller Menschen kennengelernt haben, überhaupt auf diese Art sterben mußte.

Auch Formulierungen wie »Gott hat seinen Sohn geopfert«, sind unpassend, so wahr sie auch sind. Der kindliche Verstand ist nicht in der Lage, den Erlösungsplan Gottes in all seiner Tiefe zu erfassen. Auch hier entsteht wieder die Gefahr, daß das positive Gottesbild des Kindes gestört wird.

Der folgende Vorschlag, mit ganz kleinen Kindern über die Kreuzigung zu reden, ist als Erzählhilfe gedacht:

»Als Jesus lebte, hat er vielen, vielen Menschen geholfen. Er machte Kranke gesund und hat die Traurigen getröstet. Und er hat ihnen gesagt: ›Gott hat mich zu euch geschickt, damit ihr wißt, daß er euch liebt. Ich bin sein Sohn.‹

Viele Menschen waren ganz froh, als sie das hörten. Sie glaubten, was Jesus sagte, und gingen mit ihm, um noch mehr von ihm zu hören. Zwölf Männer blieben überhaupt bei ihm, und auch ein paar Frauen.

Den Führern der Juden, so hieß dieses Volk, gefiel das gar nicht. Sie hatten Angst, daß bald alle Menschen nur noch auf Jesus, anstatt auf sie hören würden. Sie überlegten, was man dagegen tun könnte. Sie wollten Jesus beseitigen. Aber wie? ›Wir werden einen Grund finden und Jesus zum Tode verurteilen, dann werden bald alle Juden wieder tun, was wir ihnen sagen‹, dachten sie sich.

Sie stellten Jesus vor das Gericht: ›Bist du wirklich Gottes Sohn, der König der Juden?‹ fragte man ihn.

Jesus antwortete: ›Ja, das bin ich, und ich bin gekommen, um alle Menschen froh zu machen.‹

Aber die Männer glaubten ihm nicht. ›Was bildest du dir ein‹, sagten sie, ›du behauptest einfach Gottes Sohn zu sein? Du beleidigst Gott! Das können wir nicht zulassen. Du mußt sterben.‹

Sie nagelten Jesus an ein Kreuz. So war es damals üblich, Verbrecher hinzurichten.

Jesus hatte Angst. Er hatte Schmerzen. Niemand war da, der ihn tröstete. Dann starb er. Später wurde er in ein Grab gelegt.

Aber Jesus war nicht allein. Gott war bei ihm.«

Selbstverständlich darf hier die Thematik nicht enden. Innerhalb der nächsten Zeit muß das Thema wieder aufgegriffen und weitergeführt werden.

Die Religionspädagogin U. Schweickhardt gibt zu bedenken, daß die Auferstehungsgeschichte mit dem leeren Grab für die kleinen Kinder unter Umständen in gewisser Hinsicht einer völlig unwirklichen, phantastischen Geschichte ähnelt – bzw. von den Kindern so aufgefaßt werden könnte. Deshalb ist dieser Eindruck beim Erzählen unbedingt zu vermeiden. Bei der Erzählung über das Erlebnis der Emmausjünger ist dies anders. »Diese Geschichte läßt Kinder die Gefühle der Freunde Jesu nachvollziehen. Dadurch bahnt sie den Weg, daß auch die Erfahrung dieser Freunde nachvollzogen werden kann.«[17] Ein Erzählvorschlag zur Geschichte der Emmausjünger:

»Die Freunde von Jesus waren alle sehr traurig, daß er nicht mehr bei ihnen war. Sie vermißten ihn.

Zwei von ihnen gingen von Jerusalem nach Emmaus, einem kleinen Ort in der Nähe. Damals gab es noch keine Autos oder Eisenbahnen, und deshalb mußten sie zu Fuß gehen. Sie unterhielten sich über Jesu Tod und waren ganz traurig.

Da merkten sie plötzlich, daß jemand neben ihnen herging und ihnen zuhörte. Es war Jesus! Aber die beiden waren ganz blind vor Trauer und erkannten ihn nicht. Sie waren ja auch ganz sicher, daß Jesus tot war.

Jesus fragte: ›Wovon sprecht ihr denn eigentlich?‹

›Ja, weißt du denn nicht, was passiert ist?‹ fragte einer der Männer erstaunt. ›Jesus ist getötet worden! Gott hatte ihn geschickt. Er half allen, die in Not waren und erzählte uns von Gott. Aber dann wurde er zum Tode verurteilt und mußte sterben. Und wir haben gehofft, er würde König von Israel werden! Nun ist er tot!‹

›Aber ihr habt das alles gar nicht richtig verstanden‹, sagte Jesus zu den beiden Männern. ›In der Bibel steht doch, daß Jesus diese schrecklichen Dinge aushalten mußte. Aber damit ist noch lange nicht alles aus!‹

Erstaunt hörten ihm die Männer zu.

Inzwischen waren sie in Emmaus angekommen und Jesus wollte weitergehen. Da sagten die Männer zu ihm:

›Du kannst doch jetzt nicht mehr weiterwandern. Es wird bald dunkel. Bleib lieber hier und iß mit uns.‹

Jesus nahm die Einladung an, und sie setzten sich an den Tisch. Bevor sie anfingen zu essen, dankte Jesus Gott für das Brot und verteilte es dann an die anderen.

Da merkten die beiden Männer plötzlich: Das ist ja Jesus! So hat er immer das Tischgebet gesprochen und das Brot ausgeteilt. Sie wurden ganz froh.

Jesus war inzwischen weggegangen.

Da machten sich auch die beiden wieder auf den Weg und liefen zurück nach Jerusalem, um all ihren Freunden zu sagen:

›Jesus lebt! Es ist wirklich wahr. Wir haben ihn gesehen und er hat mit uns gesprochen. Er lebt!‹

Wie steht es nun mit dem Osterbrauchtum?

Was hat der Osterhase mit der Auferstehung Jesu zu tun? Es ist ganz klar: Wie bei Weihnachten haben sich auch hier religiöse Inhalte mit dem Brauchtum vermischt. Es wäre wirklich verfehlt, beides, Religion und Brauchtum, unbedingt miteinander vermischen zu wollen, etwa so, daß das Osterei Symbol für neues Leben, demnach auch für die Auferstehung ist.

Ein besserer Ansatz wäre der: Wir freuen uns sehr über die Auferstehung Jesu, und weil wir so glücklich darüber sein können, feiern wir ein Fest. Es ist ein lustiges, ein fröhliches Fest: Der Osterhase versteckt die Eier im Garten, der Osterstrauß wird mit selbstangemalten Eiern behängt, die ganze Familie kann zusammensein, weil es ein paar Feiertage gibt. Es ist genügend Zeit da zum Spielen, Unterhalten, Basteln und zum gemeinsamen Festessen.

Irgendwann fragt jedes Kind, ob es den Osterhasen wirklich gibt. Die klare Antwort muß dann ebenso wie bei der Frage nach der Echtheit des Weihnachtsmannes ein Nein sein. Der Osterhase ist nur erfunden worden, weil das lustig ist, weil es ein Spiel ist. Kinder werden das ohne weiteres akzeptieren. Beim Spielen denken sie sich ja auch irgendwelche Dinge aus, verwandeln sich in Dinosaurier, Zwerge, Feen oder Prinzen.

Es ist für die religiöse Erziehung unverzichtbar, daß das Kind irgendwann erfährt, daß Osterhase und Weihnachtsmann zwar erfunden sind, Gott aber wirklich existiert.

Natürlich soll dem Kind diese Erkenntnis nicht aufgedrängt werden. Wenn sie ihm aber zu lange vorenthalten wird, kommt das Kind irgendwann selbst darauf und legt diesen Kinderglauben ab. Dabei kann es leicht passieren, daß auch Gott in die Schublade mit dem Etikett »Erwachsenenmärchen« gerät.

4. Pfingsten

Ursprünglich war Pfingsten ein jüdisches Fest, das 50 Tage nach Ostern gefeiert wurde. Es war ein Dankfest nach der Gerstenernte.

In dem Jahr, als Jesus gekreuzigt wurde, auferstand und 40 Tage später zu seinem Vater zurückkehrte, waren auch die Jünger in Jerusalem beim Pfingstfest. Dort erfüllte sich die Verheißung Jesu, seinen Jüngern den Heiligen Geist zu ihrer Stärkung zu schicken.

Pfingsten gilt als Beginn der christlichen Gemeinde (vgl. Apostelgeschichte 2).

Sicherlich ist Pfingsten das Fest, das Kindern inhaltlich am wenigsten zugänglich ist. Es ist kaum möglich, vorschulpflichtigen Kindern den Begriff ›Heiliger Geist‹ anschaulich zu erklären. Deshalb empfiehlt es sich, das Thema erst aufzugreifen, wenn das Kind älter ist.

5. Erntedankfest

Schon früh kann das Kind erfahren, daß Gott alle Dinge geschaffen hat. Auf diesem Wissen aufbauend ist es sinnvoll, im Herbst Erntedank zu feiern. Bei diesem Fest kann das Kind wieder mit all seinen Sinnen beteiligt sein: Es sieht die bunten Blätter an den Bäumen, die kräftigen Farben der Herbstblumen, es riecht an den reifen Früchten, pflückt Pflaumen und Äpfel vom Baum, befühlt die harten Weizenkörner, versucht vielleicht einen Kürbis zu tragen oder schmeckt die süßen Weintrauben.

Heutzutage werden Kinder nicht ohne weiteres merken, daß die Ernte im Herbst eine besondere Zeit ist.

Das ganze Jahr über sind die Obst- und Gemüsestände der Lebensmittelläden mit den verschiedensten Früchten gefüllt, und jeden Tag gibt es beim Bäcker frisches Brot.

Dazu kommt, daß viele Kinder, die in der Stadt leben, kaum Berührung mit der Natur haben. In lehrreichen Bilderbüchern werden Naturvorgänge anschaulich dargestellt, aber welches Kind hat tatsächlich schon einmal beobachten können, wie der Bauer Korn, Kartoffeln oder Rüben erntet.

Vielleicht ist es möglich, dem Kind gerade in dieser Zeit solche Erlebnisse zu verschaffen. Es muß ja nicht gleich ein Urlaub auf dem Bauernhof sein, obwohl dies natürlich für jedes Kind ein herrliches Erlebnis wäre. Aber auch in der Umgebung großer Städte läßt sich sicher ein Kornfeld oder eine Weide mit Kühen finden. Wenn es darüber hinaus noch möglich ist, Kontakt zu einem Bauern zu knüpfen, der dem Kind das eine oder andere aus seiner Arbeit erzählt, zeigt und es selbst ausprobieren läßt, wird das Kind schon ein bißchen mehr Zugang zur Natur bekommen. Bei solchen Erlebnissen läßt es sich gut darauf hinweisen, daß Gott die Erde erschaffen hat und unsere Nahrung immer wieder wachsen läßt.

Sicher, irgendwie kommt es einem wie Hohn vor: Im Kindergarten oder in der Kirche wird ein Erntedanktisch mit den herrlichsten Früchten aufgestellt, während im anderen Teil der Erde gerade schrecklich viele Menschen verhungern, kein Dach über den Kopf und keine Decke zum Zudecken haben.

Mit vier bis fünf Jahren sind Kinder alt genug, um auch mit dieser Problematik bekanntgemacht zu werden. Die Frage ist nur: Was kann ein Kind überhaupt tun, um das Leid eines Hungernden zu lindern?

Zunächst ist es schon sinnvoll, wenn es anhand der vielen guten Gaben erkennt, daß es von Gott geliebt und beschenkt wird. Eine Haltung der Dankbarkeit, die natürlich auch von den Eltern vorgelebt werden muß, kann so im Kind entstehen. Dazu gehört auch, daß es lernt, sorgfältig mit Nahrungsmitteln umzugehen.

Man sollte Kinder aber auch zu ganz konkreten Taten anregen. Vielleicht ist es möglich, einen Flohmarkt mit Spielsachen zu organisieren, dessen Erlös man nach Afrika schickt. Auch hier bedarf es sicher einiger Mühe und sachkundiger Informationen, um sinnvolle Hilfe leisten zu können.

Schließlich kann das Kind sein wachgerufenes Mitgefühl für die Menschen, denen es unverschuldet so schlecht geht, auch Gott im Gebet anvertrauen:

> Lieber Gott, mir geht es gut.
> Ich habe viel Spielzeug.
> Immer ist genug zu essen da.
> Warum geht es vielen Menschen so schlecht?
> Sie sind arm und hungrig,
> sie kennen dich nicht.
> Was kann ich für sie tun?
> Hilf du ihnen und
> laß sie wieder fröhlich werden. Amen.

Es ist für Kinder bestimmt ein schönes Erlebnis, ein richtiges Erntedankfest zu feiern. Die Vorbereitungen dazu werden natürlich gemeinsam getroffen.

Wenn es möglich ist, kann man mit einer Handmühle selbst Getreide mahlen. Die Kinder werden mit Begeisterung verfolgen, wie aus den harten Körnern Mehl, dann Teig und schließlich das knusprige, duftende Brot wird. Dazu wird ein Obstsalat aus verschiedenen Früchten zubereitet, wobei die Kinder eifrig mithelfen, Bananen, Äpfel, Weintrauben usw. kleinzuschneiden. Bei dem »Festessen« sollte es keineswegs feierlich und ernst zugehen. Kinder lieben fröhliche Feste, bei denen man laute und lustige Spiele machen kann.

Eine Woche vor der Erntedankfeier können die Kinder selbst Kresse aussäen. Dazu wird ein Schälchen mit gut befeuchtetem, weichem Papier ausgelegt. Darauf verteilt man die Kressesamen. Schon nach wenigen Tagen fangen die Samen an zu keimen. Sie müssen schön feucht gehalten werden, und nach ca. einer Woche kann man die Kresse ernten. Die Kinder werden den Vorgang des Wachsens gespannt beobachten und erleben so innerhalb sehr kurzer Zeit (wichtig, damit das Interesse nicht zwischendurch erlahmt!) das Säen, Wachsen und Ernten ganz persönlich.

Dies sind natürlich alles nur Vorschläge, eine Erntedankfeier zu gestalten. Sicher gibt es noch viele andere Möglichkeiten, wie man seine Freude und Dankbarkeit für Gottes Gaben ausdrücken kann.

Im Verlauf des Jahres gibt es noch unzählige Möglichkeiten, mit Kindern Feste zu feiern – man lese das nur bei Matthias Claudius nach, wenn er den ersten Zahn und die Genesung feiert – und damit Freude und Glanz in das Kinderleben zu bringen, das ja viel mehr Ängste und Mißerfolge durchmacht, als die eigene Mutter ahnt. Es gibt wohl nichts, was das Herz des Kindes für die Liebe Gottes mehr aufschließt als den Dank dafür, mit dem diese Feste dann auch fröhlich begangen werden.

VI. Mit Kindern beten

Warum ist es überhaupt sinnvoll, mit Kindern zu beten? Inhalt der religiösen Erziehung ist es ja, den Kindern ein Kennenlernen Gottes zu ermöglichen. Das Gebet ist die Form der Kommunikation zwischen Mensch und Gott, die in der Bibel ausdrücklich geboten wird. Durch das Gebet kann man in Verbindung zu Gott treten, sich ihm mitteilen, Ängste und Sorgen loswerden; man kann bitten und empfangen, danken und loben.

Das Wichtigste ist zunächst die Frage nach den Gebetsinhalten.

Jesus gab den Menschen, als er auf der Erde war, mit dem Vaterunser ein Beispiel, wie ein Gebet nach Gottes Sinn aussehen soll (Matthäus 6,9–13). Die Gedanken im Vaterunser sind rein geistlicher Natur, auch wenn die Bitte »Unser täglich Brot gib uns heute« häufig ausschließlich als materieller Wunsch ausgelegt wird. Brot wird in der Bibel aber auch oft als Sinnbild für das neue, geistliche Leben in Gott benutzt (vgl. Johannes 6,22–59). Außerdem heißt es doch ganz eindeutig in Matthäus 6,8: »Euer Vater weiß, was ihr bedürfet, ehe denn ihr ihn bittet.«

Im gleichen Kapitel, einige Verse weiter (ab Vers 25) macht Jesus seinen Nachfolgern noch deutlicher, welche Lebenseinstellung Christen in dieser Welt haben sollen: »Trachtet zuerst nach dem Reich Gottes und nach seiner Gerechtigkeit, so wird euch solches (= irdische Bedürfnisse wie Essen, Kleidung usw., siehe die vorherigen Verse) alles zufallen« (Vers 33). Das bedeutet ganz einfach, daß nur eins wichtig ist: Daß man immer mit Gott verbunden ist, und daß das Vertrauen gestärkt wird, daß Gott die menschlichen Bedürfnisse genau kennt und so erfüllt, wie es für jeden seiner Kinder gut und notwendig ist.

Mit diesem Verständnis vom Sinn und Inhalt des Bittens kann man sich selbst und vor allem auch den Kindern sehr viele Enttäuschungen ersparen.

Gott hat uns die Möglichkeit des Gebets gegeben, damit wir um Kraft für die vielfältigen, oft sehr schwierigen Lagen unseres irdischen Lebens bitten können. Mehrmals wird in der Bibel betont, daß Gott unser Gebet erhört, sofern wir nach seinem Willen bitten.

Es ist sicherlich nicht sinnvoll, ein Kind zu ermutigen, Gott um Erfüllung seiner materiellen Wünsche zu bitten. Wie soll man dem Kind später schließlich erklären, warum nun Gott doch kein schönes Wetter für den Zoobesuch werden ließ, warum Gott nicht die Masern mit dem unangenehm hohen Fieber von einem abgewendet hat, warum nicht eines Tages das von Gott erbetene neue Fahrrad vor der Tür steht?

War das Gebet vielleicht nicht intensiv genug? War es nicht »fromm« genug, d.h. muß man vielleicht artiger sein, damit Gott Gebete erhört? Oder soll man bei Gott etwa recht lange betteln?, so wird sich das Kind vielleicht fragen.

Nichts von alledem! Das Problem liegt in der Wahl der falschen Gebetsinhalte! Das Gebet ist eben keine Zauberformel, die das Leben durch Erfüllung aller Wünsche recht angenehm macht.

Daran schließt sich natürlich gleich die Frage an: Wie aber soll denn nun ein Gebet sein?

Zu einem Teil sollte *das Gebet aus Dank* bestehen. Es gibt unzählige Dinge, für die man Gott danken kann. Schon das zwei- bis dreijährige Kind versteht den Dank für Gesundheit, schönes Wetter beim Spaziergang, für das Essen usw. Dank ist etwas, was kleine Kinder nachvollziehen können. Das dreijährige Kind sagt hocherfreut »danke« für das Schokoladeneis (zumindest ab und zu!), weil es sich wirklich darüber freut und weil ihm in diesem Augenblick auch klar ist, daß das Eis nicht selbstverständlich ist. Ebenso kommt das gleiche Kind freudestrahlend mit einer Butterblume in der Hand aus dem Garten: »Hier, bitte, für dich!« Geben und Nehmen sind also Begriffe, die dem Kleinkind geläufig sind.

Ein anderer Bereich ist *das Loben Gottes.* Dies kann gut an der Schöpfung veranschaulicht werden. Dafür sind beispielsweose Situationen geeignet, in denen das Kind ganz bewußt die Natur erlebt. Wenn es im Urlaub zum ersten Mal einen großen Wasserfall beobachtet, wenn nach dem Regen ein herrlicher Regenbogen erscheint, wenn es ganz aus der Nähe ein Gänseblümchen betrachtet, dann kann man davon erzählen, wie Gott alles so hervorragend geschaffen hat. In ihrem Umgang mit der Natur zeigen die Eltern dem Kind beispielhaft, wie wertvoll Gottes Schöpfung ist und wie erstaunlich es ist, daß Gott solche wunderbaren Dinge schaffen kann. So kann man am Abend vielleicht beten:

»Lieber Gott, du hast ganz schöne Gänseblümchen gemacht. Wir freuen uns, daß sie überall auf der Wiese wachsen. Vielen Dank daß du uns soviel Schönes schenkst. Amen.«

Aber *auch die Bitte* ist und bleibt ein wesentlicher Bestandteil des Gebets. Kinder müssen lernen, um welche Dinge man Gott bitten kann und soll.

»Lieber Gott, morgen ist mein Geburtstag. Sei du doch bei uns, wenn wir feiern und laß uns ganz fröhlich sein. Amen.«

»Lieber Gott, ich bin krank und fühle mich gar nicht wohl. Hilf mir doch, daß ich die Halsschmerzen gut aushalten kann und daß ich trotzdem schön spielen kann und nicht so schlechte Laune habe. Amen.«

Aber weil nun einmal unser aller Leben vielfach mit materiellen Dingen verbunden ist, bleibt es bei einem gesunden und vertrauensvollen Umgang mit Gott nicht aus, daß wir unsere und anderer Leute Nöte – auch materieller Art – Gott im Gebet sagen. Hier ist es äußerst wichtig, daß wir die Erfüllung dieser Bitten dem guten Willen Gottes überlassen – in dem gleichen Vertrauen, in dem wir die Bitte ausgesprochen haben. Wenn das Kind mit uns erlebt, wie Gott solche Bitten einmal erfüllt und wir ihm dafür danken; ihre Erfüllung aber in seinem guten Willen für uns nicht gewährt, und wir auch dies voll Vertrauen von ihm annehmen – dann ist die Gefahr eines Automatengebets – Bitte rein, Erfüllung raus – vermieden. Dieses Annehmen all dessen, was Gott gibt, sein Ja genauso wie sein Nein – das ist Verstehenshilfe für das Kind und religiöse Erziehung durch Vorbild.

Gerade beim Kindergebet kommt es sehr auf den Zeitpunkt, die Sprache und die Form an.

Die meisten Kinder haben ganz bestimmte Einschlafrituale: Zum Beispiel muß zuerst ein Glas Milch getrunken werden, dann wird der Teddy in den Arm genommen, ein Schlaflied gesungen und das Licht gelöscht. Man kann Kinder in ihrem Wunsch nach Ritualen ruhig unterstützen. Sie vermitteln ihnen Sicherheit, Ruhe und ein gewisses Maß an Angstfreiheit. Wenn in dieses Ritual dann ein kurzes Gebet eingeführt wird, kann es zu einer guten Gewohnheit werden, auf die das Kind jeden Abend wartet und sich freut.

Selbstverständlich ist der Zeitpunkt für das Beten nicht festgelegt. Es kann genausogut auch am Morgen oder zwischendurch stattfinden. Manchmal bietet sich bei größeren Kindern auch ein spontanes Gebet nach einem bestimmten Erlebnis an. Trotzdem ist der Abend gut dafür geeignet, mit dem Kind still zu werden, über Ereignisse des Tages nachzudenken und sie zu besprechen. Eine feste Zeit für das Gebet hat weiterhin den Vorteil, daß es nicht so häufig vergessen oder vernachlässigt wird. Jede Familie wird natürlich diese kurze Gebetszeit nach ihren individuellen Möglichkeiten einrichten.

Am natürlichsten und einfachsten für das Kind sind Gebete, die seinem gewohnten Sprachschatz entnommen sind, d.h., das Kind bzw. die Eltern sollten die Gebete so formulieren, wie sie sonst auch reden.

Je kleiner das Kind ist, um so kürzer und einfacher sollte das Gebet sein, da kleine Kinder sich noch nicht so lange konzentrieren können.

Bei ein- bis zweijährigen Kindern werden die Eltern höchstens zwei Sätze als Gebet formulieren:

»Lieber Gott, hab vielen Dank, daß Benjamin heute gesund ist und schon spielen konnte. Bleibe du heute nacht bei ihm. Amen.«

Je kleiner das Kind ist, um so weniger wird es vorerst vom Gebet verstehen, aber es wird die Stimmung und Sammlung der Eltern wahrnehmen und in sich aufnehmen. Es spürt, daß es da jemanden gibt, der über die Grenzen und Möglichkeiten der Eltern hinausreicht, dem sie Vertrauen und Ehrfurcht entgegenbringen.

Die innere Haltung der Eltern beim Gebet wird von dem Kind emotional ganz genau erfaßt. Es spürt mit Sicherheit, ob die Eltern ihr Gebet ernst meinen oder ob es sich dabei nur um eine Formsache handelt. Eltern sollten sich schon überlegen, warum sie ihr Kind beten lehren wollen. Wenn es ihnen darum geht, daß das Kind beten soll, weil es ja so niedlich ist, wenn so ein Dreikäsehoch mit gefalteten Händen im Bett sitzt, oder weil sie ihrer religiösen Erziehungspflicht genügen wollen, dann wird das Kind das Gebet kaum für eine wichtige Sache halten.

Etwas anderes ist es, wenn Eltern mit ihrem Kind zwar beten möchten, aber nicht so recht wissen wie, oder sich vielleicht sogar schämen, laut zu beten. In diesem Fall ist es vielleicht ein guter Anfang, mit dem Kind erst einmal gereimte Gebete zu sprechen. Wenn die Scheu vor dem lauten Beten erst einmal etwas überwunden ist, wird es auch leichter sein, freie Gebete zu formulieren.

Je älter das Kind wird, um so mehr einzelne Wörter des Gebetes versteht es und macht damit die Erfahrung, daß man mit Gott über die Dinge sprechen kann, die einem bewegen, die man gerade erlebt hat und um die man sich sorgt, oder wovor man Angst hat. Gott wird damit zu jemandem, der teilnimmt am eigenen Leben, dem die eigenen Gedanken und Erlebnisse vertraut sind. Viele Kinder sprudeln oft geradezu über, wenn es darum geht, etwas mitzuteilen, was sie bewegt. Sie erzählen gern, daß sie gerade Geburtstag hatten und ein rotes Dreirad bekommen haben und daß der Nachbarsjunge Masern hat. Es wäre wünschenswert, daß das Kind auch zu Gott ein so gutes Verhältnis bekäme, daß es ihm genauso spontan erzählen könnte, was es bewegt.

Natürlich darf das Gebet kein flaches Dahinplaudern werden. Das Kind muß lernen, im Gebet die Dinge, die es bewegen, mit Gott in Verbindung zu bringen: Es kann Gott z.B. danken, daß es einen so schönen Geburtstag erlebt hat; es kann ihn bitten, ihm darüber hinwegzuhelfen, daß es traurig über den Umzug der besten Freundin ist.

Neben dem freien Gebet gibt es natürlich auch noch das Beten in Versen und Reimen. Eine große Anzahl von Büchern mit Kindergebeten macht Vorschläge, welche Gebetstexte die Eltern mit ihrem Kind beten können. Zunächst ist dazu zu sagen, daß kleine Kinder Reime sehr mögen. Sie werden den Eltern begeistert zuhören und schon bald Teile des Verses nachsprechen. Vorgefaßte Gebete nehmen dem Kind (bzw. den Eltern) die schwierige Arbeit ab, die eigenen Gedanken und Gefühle in Worte zu fassen. In vielen gereimten Gebeten wird sich das Kind in seiner jeweiligen Situation wiederfinden.

Auf einen weiteren Vorteil der Formelgebete weist die Psychotherapeutin M. Leist noch hin, wenn sie sagt, daß es unmöglich ist, jeden Tag neue Worte für das immer gleiche zu finden, für das Danken, Bitten und Loben, für Leid und Freude.[18] Wenn die Worte des Gebets (auch die des freiformulierten) von Tag zu Tag fast immer dieselben sind, kann das Gebet leicht zur Form erstarren und kommt dann nicht mehr von Herzen.

In vielen vorformulierten Kindergebeten liegt jedoch auch eine große Gefahr. Oftmals vermitteln sie ein falsches Gottesbild, sind übersät mit unverständlichen Wörtern, beinhalten Unbiblisches, jagen dem Kind Angst ein oder verharmlosen Sachverhalte. Eltern sollten sich deshalb zuerst einmal genau überlegen, was das Gebet, das sie ihre Kinder lehren wollen, auch wirklich aussagt.

Der geradezu klassische Vers »Lieber Gott, mach mich fromm, daß ich in den Himmel komm«, ist beispielsweise ein ganz und gar ungeeignetes Kindergebet. Vorausgesetzt, das Kind hat schon irgendeine Vorstellung von der Eigenschaft, fromm zu sein (ein sehr ungeläufiges Wort in Kindermund!), wird es sich auf gar keinen Fall wünschen, in den Himmel zu kommen. Das Kind möchte selbstverständlich bei seinen Eltern, in der gewohnten Umgebung bleiben. Wenn es ernsthaft darüber nachdenkt, was es im Gebet da eigentlich sagt, wird es eher Angst bekommen, »in den Himmel zu kommen«; ein Begriff, den es noch nicht mit Inhalt füllen kann. Der zukünftige Gedanke, der in dem Reim steckt, daß es ja erst später, nach seinem Tod, ewig bei Gott leben wird, ist für das Kind ohne Bedeutung. Es lebt nur in der Gegenwart, im Heute, und das ist für es wichtig. Es ist ihm völlig egal, was irgendwann später einmal passiert, da es sowieso in den ersten drei Lebensjahren noch keine zeitliche Vorstellung hat. Außerdem ist der Gedanke, der in dem Gebet ausgedrückt wird, sowieso völlig falsch. Niemand muß fromm sein (nämlich artig, brav, lieb, gehorsam usw.), um ewiges Leben zu erhalten, sondern »aus Gnade seid ihr, gerettet aus Glauben, und das nicht aus euch: Gottes Gabe ist es, nicht aus Werken, damit niemand sich rühme« (Epheser 2,8.9).

Genauso absurd ist das Gebet: »Ich bin klein, mein Herz ist rein, soll niemand drin wohnen als Jesus allein.« Hier handelt es sich um eine unmöglich zu erfüllende Forderung. Daß niemand außer Jesus im Herzen des Kindes wohnen sollte, bedeutet letztlich ja, daß ihm nichts und niemand so wichtig sein darf. Dem kleinen Kind sind aber in erster Linie seine Eltern wichtig, und das ist auch ganz normal und richtig so.

Die meisten Tischgebete sind gereimt und unterliegen ganz besonders der Gefahr, »geleiert« zu werden, da sie ja meist dreimal täglich wiederholt werden. Wenn Eltern bemerken, daß ihr Kind immer das gleiche Gebet in rasender Geschwindigkeit »herunternuschelt«, wäre es an der Zeit, das Tischgebet häufiger selbst zu formulieren, was auch ruhig ganz kurz sein kann: »Lieber Gott, wir danken dir für das leckere Essen, an dem wir uns satt essen können. Amen!«

Gerade im Bereich der Tischgebete gibt es Texte mit verheerendem Inhalt: »Lieber Gott, du gibst zu essen / allen Wesen in der Welt; was da springt in Wald und Feld / niemals hast du eins vergessen; sorgst auch für uns und schenkest / heut uns wieder Speis und Trank. Lieber Vater, habe Dank. Amen!«

Angesichts der katastrophalen Hungersnöte in vielen Teilen der Erde ist es einfach unverantwortlich, eine derartig falsche, heile Kinderwelt zu schaffen, aus der es für die Kinder bald ein böses Erwachen geben wird. Schließlich zielt ja die religiöse Erziehung darauf, im Kind das Mitdenken und Mitfühlen mit den Mitmenschen zu fördern, und nicht darauf, Unangenehmes zu verwischen oder zu verschweigen.

Kindgerechtes Beten zeigt sich nicht in niedlichen Formulierungen (»Ich bin klein, mein Herz ist rein«), sondern darin, ob das Kind den Inhalt des Gebets überhaupt verstehen und aufnehmen kann. Gebete, die inhaltlich eher für Erwachsene gedacht sind, bleiben für Kinder leere Worte.

Ein weiteres Problem liegt bei kleinen Kindern darin, daß sie sich kaum auf ein Gebet konzentrieren können, wenn sie mit hungrigem Magen auf ihrem Stuhl herumzappeln, und voller Ungeduld darauf warten, daß das Gebet endlich vorbei ist und das Essen ausgeteilt wird. In dieser Situation könnte das Gebet auch auf das Ende der Mahlzeit verlegt werden.

In diesem Zusammenhang sollte auch erwähnt werden, daß ein Kind niemals zum Beten gezwungen werden darf. Wenn es tatsächlich einmal nicht beten mag, kann das ganz banale Gründe haben, und man braucht das wohl nicht so ernst zu nehmen. Anders ist es, wenn das Kind sich über längere Zeit weigert zu beten. Dann ist es wichtig, nach dem Grund zu forschen und eventuelle Schwierigkeiten zu beseitigen oder zumindest mit dem Kind zu besprechen. Auf keinen Fall sollte das Gebet willkürlich erfolgen, je nach Lust und Laune. Wenn nicht eine gewisse Regelmäßigkeit eingehalten wird, erhält das Kind leicht den Eindruck, daß es nicht so wichtig ist, ob man betet oder nicht.

Neben dem freien und gereimten Gebet gibt es noch eine andere Form, das ungereimte, vorformulierte Gebet. Dies entspricht oft sehr gut den Gedanken und Ausdrucksformen des Kindes:

»Lieber Gott,
heute ist ein schöner Tag.
Die Sonne scheint und es ist ganz warm.
Du hast alles so schön gemacht,
damit wir uns darüber freuen können!
Wir danken dir dafür. Amen.«

Das Gebet darf nicht dazu mißbraucht werden, alle unangenehmen Dinge auf Gott abzuwälzen. Kinder dürfen nicht den Eindruck erhalten, daß durch ihre Gebete alle Wünsche erfüllt und alle Probleme gelöst werden. Natürlich ist der Mensch für viele Dinge auch selbst verantwortlich, bzw. er muß auch, nachdem er Gott sein Problem anvertraut hat, selbst zu dessen Lösung beitragen. Am Beispiel der Eltern werden Kinder dieses Verhalten lernen:

Die Mutter der zweijährigen Jasmin mußte sich plötzlich einer dringenden Operation unterziehen. Da der Vater arbeiten mußte, bot sich die Nachbarin an, Jasmin tagsüber zu betreuen. Ihre Tochter, die fünfjährige Linda, war auch gleich begeistert davon. Am Abend betete sie mit ihrer Mutter zusammen, daß es Jasmin bei ihnen gefallen und sie ihre Mutter nicht so sehr vermissen möge. Drei Tage waren vergangen, als Linda einen Wutanfall bekam: »Jetzt hat Jasmin schon zum drittenmal mein Puppenhaus durcheinandergebracht. Ich will endlich wieder in Ruhe spielen.«

Die Mutter verstand ihren Ärger, aber dann erinnerte sie Linda daran, daß sie doch eigentlich wollte, daß es Jasmin bei ihnen gefällt. Sie ging mit Linda in den Keller und kramte das alte Babyspielzeug hervor, das Linda nicht mehr mochte. Zusammen machten sie alles sauber und zeigten Jasmin dann, was man alles mit den Bauklötzen, den kleinen Tieren usw. anfangen kann.

Wichtig bei diesem Beispiel ist, daß die Mutter nicht etwa moralisierend eingreift, indem sie mit Linda schimpft. Sie kann gut verstehen, wie sehr ein zweijähriges Kind ein größeres stören kann. Aber sie entläßt Linda auch nicht aus ihrer Verantwortung, ihren Teil beizutragen, die Kleine aufzuheitern. Dadurch, daß sie durch das Spielzeug eine Möglichkeit dazu schafft, macht sie ihrer Tochter die Sache leichter.

Zusammenfassend kann gesagt werden, daß es einige Kriterien gibt, die ein gutes Kindergebet ausmachen. Es ist sinnvoll, sich diese einmal bewußt zu machen:

- Das Gebet sollte vom Kind verstandesmäßig erfaßt werden können.
- Es muß wahr im Sinne der biblischen Botschaft sein.
- Es sollte möglichst kurz sein.
- Abwechslung ist auch beim Beten wichtig. Das Gebet kann z.B. freiformuliert, gereimt oder vorformuliert sein, es kann wechseln zwischen Dank, Bitte und Lob Gottes.
- Es sollte einem positiven Gottesbild entsprechen.

Mit größeren Kindern ist es sinnvoll, auch einmal über das Beten zu sprechen. Man kann zum Beispiel an die Frage anknüpfen:

»Warum sollen wir überhaupt beten?«

Antwortmöglichkeit: »Gott hat uns geschaffen, er sorgt für uns und kümmert sich um uns, wenn wir traurig sind. Er hat uns lieb und möchte gern, daß auch wir Kontakt zu ihm aufnehmen. Es ist so ähnlich wie mit deinen Freunden: Du erzählst ihnen, was dich interessiert, was du dir wünschst und was dir Sorgen macht. Deine Freunde wollen das auch gerne wissen, weil sie dich mögen. Wenn man sich nicht mehr mit seinen Freunden unterhält, werden sie einem plötzlich ganz fremd, so, als würde man sie gar nicht mehr richtig kennen.«

»Aber mit Gott ist das doch ganz anders! Der gibt einem gar keine Antwort.«

Antwortmöglichkeit: »Da hast du schon ein bißchen recht. Gott redet nicht so wie wir Menschen. Er ist ja auch kein Mensch. Deshalb bekommt man von Gott ganz andere Antworten. Wenn man gebetet hat, muß man gut aufpassen, um zu merken, was Gott für eine Antwort gibt. Stell dir vor, du hast mit deinen Eltern einen Zoobesuch geplant, aber gerade an diesem Tag hört es einfach nicht mehr auf zu regnen. Dann bist du natürlich ganz traurig. Und außerdem bist du ganz schlecht gelaunt. Jetzt kannst du Gott vielleicht bitten, daß er dir hilft, wieder fröhlich zu werden. Wenn du abends im Bett liegst, denkst du über den Tag nach. Beim Spielen zu Hause war deine schlechte Laune auf einmal weg und es wurde noch richtig lustig. Gottes Antwort war, daß er deine Bitte erfüllt hat.«

VII. Die Bibel für Kinder

Die Bibel ist das wichtigste und wertvollste Buch, das Menschen kennenlernen können. Sie vermittelt Gottes Willen und zeigt an Beispielen sein Handeln an den Menschen. Sie gibt Antworten auf die Fragen nach dem Woher, dem Wohin und dem Sinn des Lebens. Deshalb ist es gläubigen Eltern so wichtig, ihr Kind mit dem Inhalt dieses Buches bekannt zu machen.

Nur ist es natürlich nicht damit getan, Kindern die Bibel vorzulesen. Sie würden nur wenig verstehen und vieles falsch auffassen. Dies könnte dann eher schädlich wirken.

Die bildreichen Darstellungen, die vielen Begebenheiten, die sich in kurze Geschichten fassen lassen, machen den Anschein, als sei die Bibel ein Buch für Kinder. Tatsächlich jedoch bedarf es einer sorgfältigen Auswahl und Vorbereitung, um bei Kindern das erstrebenswerte Ziel zu erreichen, das man ja schließlich vor Augen hat: ihnen Gott bekannt und vertraut zu machen.

Die meisten Eltern sind zum Beispiel darum bemüht, ihrem Kind so früh wie möglich gute Eßmanieren beizubringen. Wer würde dabei auf die Idee kommen, dem Zweijährigen Abschnitte aus einem Buch über Benimm-Regeln vorzulesen? Der Gedanke ist natürlich lächerlich! Eltern werden in erster Linie Vorbild sein und darüber hinaus versuchen, ihrem Sprößling mit einfachen Worten klarzumachen, daß die Kartoffeln nicht erst auf dem Tischtuch zerdrückt werden, bevor sie im Mund landen. Außerdem würden Eltern ihre Kinder sicher nicht zusätzlich mit schwierigen und vorerst überflüssigen Tischsitten überfordern, wie zum Beispiel ein Hähnchen mit Messer und Gabel zu zerlegen, oder gar mit der theoretischen Sachkenntnis über das kunstgerechte Verspeisen von Spargel.

Was damit gesagt werden soll: Kinder sollten aus der Bibel das erfahren, was für sie in ihrem jeweiligen Alter wichtig und nützlich ist, was sie verstehen und anwenden können, was ihnen Gottes Liebe und Nähe begreiflich macht, was ihre kindlichen und doch so elementaren Lebensfragen beantwortet.

Mancher Leser mag vielleicht einwenden, daß Gott schließlich nicht immer sanft und freundlich ist, sondern daß er auch zornig wird, daß er richtet, straft und erzieht. Erwachsene sind sicher in der Lage, die Notwendigkeit solcher göttlichen Verhaltensweisen zu verstehen, weil ihr Glaube zu Gott von einer Vielzahl positiver Erfahrungen getragen wird und weil diese Form göttlichen Verhaltens in der Bibel z.B. in Hebräer 12,4–11 verständlich begründet wird. Niemand würde jedoch einem Gott Vertrauen schenken, den er nur als zornigen, strafenden, fordernden Gott kennengelernt hätte.

Ein Kind fängt erst an, Erfahrungen mit Gott zu sammeln, die sein Vertrauen in ihn stärken. Deshalb ist es so überaus wichtig, daß diese Erlebnisse und Kenntnisse über Gott positiv sind.

Es ist für Kinder nicht besonders nützlich, wenn sie sich zwar in allen biblischen Geschichten, sei es Altes oder Neues Testament, bestens auskennen, den wirklichen Sinn mancher Begebenheiten aber überhaupt nicht verstehen.

Man kann zum Beispiel dem dreijährigen Kind in allen Einzelheiten von der Sintflut erzählen. Begeistert wird es danach alle seine Tierchen in ein Plastikboot legen und Sintflut spielen, ohne auch nur das Geringste von der Dramatik des Geschehens erfaßt zu haben.

Man kann dem fünfjährigen Kind von der Sintflut erzählen und es wird sich danach vermutlich mit dem Problem herumschlagen: »Wieso hat der angeblich liebe Gott alle Menschen so schrecklich ertrinken lassen? Und die Hunde mußten auch alle sterben. Die konnten doch gar nichts dafür!« Das Kind ist empört – seinem Gottesbild wurde ein empfindlicher Schlag versetzt.

Man muß sich immer fragen, mit wem sich das Kind in einer biblischen Geschichte wohl identifizieren wird. Eine Begebenheit im Alten Testament, die davon erzählt, daß Gott Abraham auffordert, seinen Sohn zu opfern, veranschaulicht dies gut.

Der erwachsene Leser idenfiziert sich ohne Frage mit Abraham. Er empfindet nach, wie schwer ihm der Weg zur Opferstätte geworden ist, wie er vielleicht gezögert hat, er spürt das unendliche Vertrauen, das Abraham in Gott setzte.

Anders ist es beim Kind! Das identifiziert sich selbstverständlich mit dem Sohn, der geopfert wird. Es ist völlig ratlos. Wie kann Gott nur so »gemein« sein, ein Kind schlachten zu lassen! Was ist das nur für ein schrecklicher Vater, der da auch noch gehorcht und tatsächlich sein Kind mit dem Messer töten will? Das sensible Kind reagiert angstvoll: »Ist es wohl möglich, daß Gott auch von meinem Vater verlangt, mich umzubringen? Wird mein Vater sich darauf einlassen?« So quält es sich in Gedanken. In Kindergruppen kann es sogar passieren, daß sich ein Kind nach dieser Erzählung äußert: »Ja, mein Vater hat mich neulich auch ganz doll gehauen!«

Es wird deutlich, daß der tiefe Sinn der Geschichte, nämlich zu zeigen, daß Abrahams großes Vertrauen Gott gegenüber nicht enttäuscht wurde, bei Kindern wahrscheinlich völlig verfehlt werden wird.

Fast erschrocken fragt man sich nun, was man denn dem Kind eigentlich zumuten darf. Zum Glück gibt es auch eine Menge biblischer Geschichten und Inhalte, die das Kind froh machen, die es versteht, die es näher zu Gott bringen.

Bevor man Kindern etwas aus der Bibel erzählt, sollte man die Geschichte auf folgende Kriterien hin untersuchen (das gilt natürlich auch für andere religiöse Geschichten):

1. *Gewinnt das Kind bei dieser Geschichte ein positives Gottesbild?*
2. *Fühlt es sich selbst davon angesprochen und betroffen?*
3. *Wie lautet der Hauptgedanke, den die Geschichte vermitteln will?* (Möglichst konkret formulieren!)

An einem Beispiel soll diese Vorgehensweise erläutert werden: Im Neuen Testament wird berichtet, daß Jesus eines Tages mit seinen Jüngern auf einem Schiff über den See fährt. Da er sehr müde ist, legt er sich hin und schläft ein. Plötzlich erhebt sich ein Sturm, die Wellen schlagen ins Boot und es droht zu sinken. Die Jünger haben Angst und wecken Jesus. Er steht auf und gebietet dem Sturm und den Wellen still zu sein. Die Gefahr ist vorüber. Jesus hat den Jüngern geholfen; sie sind froh.

Zu Frage 1: Jesus, der ja den Menschen auf Erden zeigen wollte, wie lieb sein Vater im Himmel sie hat, errettet die Jünger aus großer Gefahr. Genauso ist Gott immer bereit, den Menschen aus ihren Nöten heruszuhelfen. Das ist ein Gott, der niemanden sich selbst überläßt, sondern immer da ist. Ein Gott, dem man vertrauen kann.

Zu Frage 2: Jedes Kind kennt Angst. Es kann sich mit den Männern im Boot identifizieren. Sicher erinnert es sich an eine Situation, in der es in Gefahr war, wo es Hilfe brauchte. Es erfährt: Gut, daß es jemanden gibt, den man in jeder Lage um Hilfe bitten kann!

Zu Frage 3: Lernziel: Das Kind soll erfahren, daß man Gott völlig vertrauen kann, weil in der Bibel von Menschen berichtet wird, denen er auch schon aus großer Not geholfen hat.

Im folgenden werden einige biblische Inhalte vorgeschlagen, die das Kind im Laufe der Zeit (und nicht etwa in kürzester Zeit!) hören könnte:

Die Schöpfung
Gott hat alles erschaffen. Man kann es überall sehen und sich daran erfreuen. Das fängt ganz einfach beim Staunen über einen schönen Stein, eine Blüte, einen Baum an.

Jesu Menschwerdung, Tod und Auferstehung
Näheres im Kapitel über Weihnachten und Ostern.

Jesus heilte die Menschen und half ihnen
Dabei nicht zu viele Wunder erzählen, damit beim Kind nicht der Eindruck entsteht, es handle sich bei Jesus um eine Phantasiegestalt. (Antwort eines Kindes auf die Frage, wer Jesus war: »Ein großer Zauberer!«)

Der barmherzige Samariter
Das Kind erhält beispielhaft Grundlagen für sein eigenes Handeln.

Der verlorene Sohn, der gute Hirte, Jesus stillt den Sturm, Jesus segnet die Kinder
Kenntnisse über das Wesen Gottes werden vermittelt.

Um noch einmal auf das Beispiel mit der Sintflut zurückzukommen: Die geäußerte Kritik soll nicht bedeuten, daß Kinder überhaupt nichts von dieser Begebenheit hören sollten. Aber an dieser Geschichte läßt sich gut erkennen, wie wichtig es ist, den richtigen thematischen Schwerpunkt zu setzen. Wichtig an dieser Erzählung ist für Kinder, daß Gott Noah und seine Familie auf wunderbare Weise errettete, weil sie ihm vertrauten. Danach gab er ihnen ein Zeichen, daß noch heute daran erinnert, daß Gott mit denen ist, die ihn lieben. Jedes Kind wird begeistert sein, wenn es so erfährt, was es mit dem Regenbogen auf sich hat.

Keinesfalls sollte man Kinder mit biblischen Inhalten überschütten. Es ist sinnvoller, wenn man nur eine Begebenheit über einen längeren Zeitraum immer wieder neu durchdenkt, erfühlt und neu gestaltet, als daß ein umfassendes Bibelwissen nachgewiesen werden kann, das das Kind nur im Kopf hat, was also oberflächlich ist. D.h. daß man eine solche Geschichte erzählt, malt, spielt, Szenen daraus wiederholt, vielleicht ein Lied darüber singt usw.

Ein negativer Effekt, der bei Kindern auftritt, die tagtäglich mit den gleichen Andachten, biblischen Geschichten und religiösen Gedanken konfrontiert werden, ist der der Übersättigung.

Die Religionspädagogin Johanna Klink[19] warnt davor, Kindern immer und immer wieder die gleichen Geschichten vorzulesen, bzw. zu erzählen. Dadurch würde eine Art Immunisierung eintreten, die verhindert, daß das Gehörte auch wirklich noch ins Bewußtsein vordringt.

Die sicherlich weitaus größere Gefahr in unserer Gesellschaft ist allerdings wohl eher ein Desinteresse an Gott und seinem Wort oder eine Unbeholfenheit im

Umgang mit der Bibel, die eine religiöse Unterernährung der Kinder mit sich bringt.

Deshalb soll Eltern Mut gemacht werden, viel mehr mit Gott und seinem Wort umzugehen, damit sie den Gewinn, den sie dadurch haben, ihren Kindern überzeugend nahebringen können.

ANMERKUNGEN

Als Bibeltext wurde, wenn nicht anders angegeben, die revidierte Lutherbibel 1984 verwendet.

[1] W. Eser (Hg.), Zum Religionsunterricht morgen I–III, München 1970, S. 243.

[2] H. J. Fraas / H. May, Am Anfang des Lebens, Frankfurt am Main 1977, S. 22.

[3] Vgl. R. Oerter, Moderne Entwicklungspsychologie, Donauwörth 1969, S. 285.

[4] W. Trobisch, Liebe dich selbst, R. Brockhaus Verlag, Wuppertal 1976, S. 22.

[5] H. J. Fraas / H. May, a.a.O., S. 168.

[6] Aus: H. May / A. Jakobs, In unserem Haus, Verlag Sauerländer AG, Aarau/Verlag Moritz Diesterweg & Co., Frankfurt/M. 1974. Diese Geschichte ist außer zur Veranschaulichung des Textes auch zur Arbeit mit Kindern gedacht. Durch Vorlesen und ein anschließendes Gespräch über den Inhalt können bei Kindern zumindest Bewußtseinsprozesse eingeleitet werden.

[7] Aus: H. May / A. Jakobs, Wir sind fünf, Verlag Sauerländer AG, Aarau/Verlag Moritz Diesterweg & Co., Frankfurt/M. 1974. Auch diese Geschichte kann für Kinder benutzt werden. Dabei sollte schwerpunktmäßig das Verhalten der Mutter im zweiten Teil erarbeitet werden.

[8] Vgl. H. M. Schulz, Was macht Gott den ganzen Tag? Grünewald Verlag, S. 29.

[9] Tilmann Moser, Gottesvergiftung, Suhrkamp Verlag, Frankfurt am Main 1976.

[10] Marielene Leist, Erste Erfahrungen mit Gott, Herderbücherei Band 409, Freiburg im Breisgau 1984[17], S. 31.

[11] R. Schindler, Gott, ich möcht mit dir reden, Verlag Ernst Kaufmann, Lahr/Schww. 1982, und Benziger-Verlag, Zürich.

[12] G. Schütz, in: Vorlesebuch Religion 3, Verlag Ernst Kaufmann, Lahr/Schww. 1976.

[13] D. Steinwede, Himmel-Reich Gottes, Verlag Ernst Kaufmann, Lahr/Schww.

[14] Von D. Steinwede / S. Ruprecht, Verlag Ernst Kaufmann, Lahr/ Schww. 1971–1973.

[15] Vgl. Elisabeth L. Reed, Kinder fragen nach dem Tod, Quell Verlag, Stuttgart 1972, S. 25.

[16] Steinkopf Verlag, Stuttgart 1977, S. 23–31.

[17] Ein Osterprogramm für den Kindergarten, in: Religion im Kindergarten, H. König (Hg.), Kösel Verlag, München 1980, S. 215.

[18] Marielene Leist, Erste Erfahrungen mit Gott, Herderbücherei Band 409, Freiburg im Breisgau 1984[17], S. 92.

[19] Johanna Klink, Der kleine Mensch und das große Buch, Patmos Verlag, Düsseldorf 1978.

Guter Gott wir danken dir

365 Andachten für Kinder

Herausgegeben von Else Diehl, Ruth Frey, Reinhold Frey, Johannes Osberghaus und Hinrich Schmidt

384 Seiten, kartoniert, Bestell-Nr. 24574

Wieder sind eine ganze Reihe Kinderarbeiter, Lehrer, Evangelisten, Väter und Mütter, Erzieher dabei, um Kindern und ihren Eltern Hilfen zum Gespräch über Gott, die Heilige Schrift, Leben, Sterben, die Gebote und andere wichtige Dinge zu geben. Dieses neue Kinderandachtsbuch ist eine Fortentwicklung von den vorangegangenen »Viele Tage hat das Jahr«, »Alle Tage neue Freunde« und »Gott liebt uns alle Tage«.
Um ein Thema etwas gründlicher zu durchdenken, werden Geschichten aus dem Neuen und Alten Testament mit Begebenheiten aus der Gegenwart und mit Erlebnissen aus dem Familienalltag erzählt und Anregungen zur praktischen Verwirklichung gegeben. Dies gibt dem Buch seine Spannung, so daß sich alle von Tag zu Tag auf eine neue Andacht freuen. Dieses Andachtsbuch richtet sich an Kinder von 9–12 Jahren, aber ältere und jüngere Geschwister werden es gerne mitlesen.

Evert Kuijt

Der Herr ist mein Hirte

Biblische Geschichten für Kinder
mit farbigen Bildern von Reint de Jonge

192 Seiten, fester Einband, Bestell-Nr. 12697

Den Inhalt der Bibel Kindern vertraut zu machen, ist eine schöne, aber auch schwierige Aufgabe. Es gibt vieles, was sie einfach noch nicht verstehen können. Und doch haben sie für die tiefen Wahrheiten des Wortes Gottes oft ein feineres Empfinden als mancher Erwachsene. Immer wieder wollen sie die gleiche Geschichte hören und sind stets aufs neue fasziniert von dem, was Gott tut. Wie bei einem Baum, der seine Wurzeln ins Erdreich treibt, kann so in ihnen eine Standhaftigkeit heranwachsen, die in unserer halt- und heillosen Welt immer wichtiger wird. Gott erfahrbar zu machen als dem guten Hirten, der sich um seine Geschöpfe kümmert, der Geborgenheit schenkt, das ist das Anliegen dieser Kinderbibel. Mit einfachen Worten wendet sie sich an die Jüngsten und wird dadurch ein Buch zum Vorlesen, zum Anschauen und zum »Begreifen«.

Die Gemeinde

Oncken Kinder Bibel

Text von Penny Frank, illustriert von J. Haysom, E. Ford, T. Morris

Bisher erschienen: 12 Geschichten aus dem Alten Testament, 8 Geschichten aus dem Neuen Testament, jeder Band hat 24 Seiten,

Mit je einer Geschichte führt die Reihe durch die ganze Bibel. Die Nacherzählungen sind knapp gehalten, bibelnah und zugleich kindgemäß formuliert. Die vierfarbigen Bilder auf jeder Seite überwiegen in Umfang und Aussagekraft. Sie sind realistisch und voller Bewegung gestaltet. Dadurch fördern sie die Anschaulichkeit und gelegentlich sogar die Spannung sehr. Die Texte und Bilder sind gut aufeinander abgestimmt in dieser gelungenen Bilderbibel. Auch durch den festen Einband und die solide Herstellung werden sich die Bände in der Hand der Kinder bewähren. Die Reihe ist sehr zu empfehlen für alle Vier- bis Neunjährigen. Helmuth Dahms

Band 1: **Am Anfang der Welt,** Bestell-Nr. 11701
Band 2: **Adam und Eva,** Bestell-Nr. 11702
Band 4: **Abraham – ein Freund Gottes,** Bestell-Nr. 11704
Band 5: **Isaak und Rebecca,** Bestell-Nr. 11705
Band 7: **Josef, der Träumer,** Bestell-Nr. 11707
Band 8: **Josef in Ägypten,** Bestell-Nr. 11708
Band 9: **Die Prinzessin und das Baby,** Bestell-Nr. 11709
Band 14: **Simson, der starke Mann,** Bestell-Nr. 11714
Band 15: **Ruth und ihre neue Familie,** Bestell-Nr. 11715
Band 16: **Gott spricht zu Samuel,** Bestell-Nr. 11716
Band 21: **Elia bittet um Brot,** Bestell-Nr. 11721
Band 26: **Das goldene Standbild des Königs,** Bestell-Nr. 11726
Band 31: **Das Baby heißt Johannes,** Bestell-Nr. 11731
Band 36: **Jesus gibt den Menschen zu essen,** Bestell-Nr. 11736
Band 38: **Der gute Samariter,** Bestell-Nr. 11738
Band 39: **Die Geschichte vom Sämann,** Bestell-Nr. 11739
Band 41: **Die Geschichte vom großen Fest,** Bestell-Nr. 11741
Band 42: **Das verlorene Schaf,** Bestell-Nr. 11742
Band 45: **Menschen begegnen Jesus,** Bestell-Nr. 11745
Band 46: **Jesus in Jerusalem,** Bestell-Nr. 11746

ONCKEN VERLAG WUPPERTAL UND KASSEL